国学经典

[清]沈复 著

淮茗 注译

浮生六记

中州古籍出版社

翰苑英华

浮生六记

当平凡成为奇迹（前言）

对一般读者来说，沈复的《浮生六记》应该不算是一个陌生的名字，虽然还不能像《三国演义》、《水浒传》、《西游记》、《红楼梦》等经典文学名著那样达到家喻户晓、妇孺皆知的程度，但喜欢它的人也是相当多的，甚至有"浮迷"之说。之所以要提到这些，是因为这本书能流传到现在，不能不说是一个奇迹。

说奇迹，主要有两层意思在：首先，从作者沈复来看，到目前为止，我们对他的了解大体上不出他自己的《浮生六记》这本书，虽然还可以找一些其他相关的记载乃至他本人的画作，但大多语焉不详，所提供的信息相当有限。可以这么说，沈复留给后人的印象恰好就是他本人所描绘的自画像，这似乎也是他想留给世人的印象，虽然模糊了些。在那个时代，像他这样的文人不知道有多少，普通得不能再普通。他虽然读过书，但没有获得过什么功名，自然也就做不了官，只能到处游幕，有时做点小生意，一生都在为生计而奔波。

二百多年过去了，那些曾和作者有着同样遭遇的千千万万名下层文人早已湮没在历史的陈迹中，即便是生前显赫的达官贵人们，人们如今又能记得住几个呢？但我们却牢牢记住了沈复这个名字，并且把他写进文学史，让他和那些曾让其景仰膜拜的历代文豪们并列，相信作者生前就是做梦都未必敢梦到这些。这一切都是因为有了《浮生六记》。有了这本书，他平凡的人生一下变得不同凡响，这就如同蒲松龄之于《聊斋志异》一样。对这种无心插柳柳成荫的作家，后人理应献上更多的敬意，因为他们不是靠权势，不是靠金钱，不是靠家族，更不可能是靠炒作和包装，而是切切实实地靠着个人的真情和人格，靠着个人的才华和文笔名垂文学史册的。他们生前没有得到过社会的认可，更不用说有成就感，古人所讲的立德、立功、立言，似乎都和他们无缘，他们注定在失意落魄中走过一生。对文学史来说，他们是纯粹的奉献者。

其次，从《浮生六记》这本书来看。它能流传到现在，打动一代又一代读者，也是一个奇迹。作者在创作的时候，主要是写给自己的，并没有藏之名山的雄心在。加上生活困难，似乎也没有刊印的打算。因此在作者身后的数十年间，并没有多少人知道这本书的存在。如果不是杨引传这位有心人在冷摊上偶然得到这部书，并将其刊印出来，我们今天很可能根本就不知道世间竟然还有这么一部书。事实上，此书被发现的时候，已经残缺不全了，本来全书也不过才六卷，几万字而已，还散失了后两卷，即三分之一。但就是这仅存三分之二的小书，刊印之后，却受到欢迎，直到今天仍不断被刊印，拥有庞大的读者群，其各类版本按照有位学人的统计，至少有160多种，可见其受欢迎的程度。这不禁让我们想到《红楼梦》，该书也是一部残书，恰好也散失三分之一，仅存80回，但它照样成为一部文学经典。这就是文学的力量和魅力。它让我们看到，一部作品的流传、风行固然有很多偶然因素，但最关键的，还在作品自身。说得极端一些，一部书的长短、完整似乎都不是最重要的。

不知道沈复的《浮生六记》的流传在中国文学史上代表的是一个规律，还是一个例外，但它确实给人们留下了许多值得深思的东西。身份极为普通的作者，写的不过是日常琐事，既没有金戈铁马，也没有江湖恶斗，更不会有降妖除怪，一切都那么平凡，是我们生活中都可见到的人，都会遇到的事。那么，为什么自发现《浮生六记》一百多年来，人们如此爱读呢？在笔者看来，人们爱读的原因恰恰就在其平凡普通。惟其平凡普通，才不需装腔作势，不必矫揉造作，写的都是个人亲身经历的事情，都是个人刻骨铭心的感受。对那些厌倦了说教训斥、读腻了高头讲章的读者来说，它让人感到亲切、自然，让人从书中看到了自己，自然能引起强烈的共鸣。看看文学史上，有哪一位作家是靠喋喋不休、毫无新意的说教获得成功的？真情实感、平淡自然，这就是本书最大的特点，也是它最能引起读者共鸣的地方。

　　时光已过去二百多年，《浮生六记》的价值也因历史文化的积淀而变得更为丰富多元。曾经在很长一段时间内，人们把它作为解读古代家族生活弊端的样本，比如俞平伯、林语堂、赵苕狂等人就是从这个角度解读的。这种解读有其特定的时代文化背景，可以给人不少启发。在这种角度的观照下，人们对书中的女主人公芸娘给予了特别的关注，主要是同情和惋惜，这一方面是因为这个人物写得特别生动、感人，另一方面也是因为这种类型的女性人物在以往的文学作品中实在是太少见了，这也是沈复对中国文学史的一个重要贡献。由于这方面的论述已有很多，这里不再赘述。

　　芸娘之外，作者本人在书中展现的形象也同样值得关注。毕竟芸娘主要在第一、三两卷中写到，而作者则活动在整本书中，他才是真正的主角。尽管后两卷已经失去，但从其题目及相关资料来看，仍主要是写作者本人的经历和见识。即便是芸娘，这个最让读者牵挂的人物，她之所以如此可爱迷人，固然是出自个人的秉性，但也不能说与作者无关。正是作者可贵的开明、宽容和爱心，给她提供了这样的舞台，并将其记录下来。尽管这个舞台实在太小了，时间也太短了。可以想象，如果换成一个不解风情、俗不可耐的男人，比如《红楼梦》里的贾赦、贾珍之类，芸娘还能有这些逸闻趣事吗？要知道在那个时代，妻子的命运几乎完全掌握在丈夫手里。可以这么说，有什么样的丈夫，就会有什么样的妻子。是沈复培养和塑造了一位可爱迷人的妻子。当然，这样的培养、塑造也付出了沉重的代价，芸娘的悲剧不能把账全算在封建礼教的头上，她自身的性格及为人处世的缺陷给自己同样也给丈夫带来了很多麻烦。

感情生活之外，作者的其他方面也是值得注意的。他是一位有个性的下层文人，从他对各地风景名胜的褒贬可以看出这一点。虽然社会地位不高，生活困顿，但他依然保持着难得的自尊，照样苦中作乐，享受人生，享受生活，即便是在借钱回家的路上，也要顺道到虞山一游，这种乐观旷达的人生态度难能可贵，对每个有着类似不幸遭遇的读者都是一种激励和启发。《浮生六记》虽然写了不少人生的苦楚和无奈，但字里行间丝毫找不到那种毫无节制的宣泄和哀怨，而且作者的享乐也不是醉生梦死、自甘堕落的那种。他不仅热爱生活，而且懂得如何生活。尽管生活贫寒，但充实而有趣。看看他讲盆景、家居的那些文字，就可以知道，他绝非泛泛而谈，而是一位真正的行家里手。从写山川风景的那些文字，可见其独到的鉴赏眼光，他不喜欢苏州的狮子林，不喜欢扬州的五亭桥，不喜欢南昌的滕王阁，但并非故意在唱反调，而是能讲出道理，给人以启发。如果生活在今天，能具备他这种文化素养和鉴赏水平，相信不至于沦落到没饭可吃的程度，他可能是位大学教授，可能是位园林专家，也可能是位成功的商人。这并不是说，现在就一定比那时好，但最起码实现人生的机会及评判成败的标准要相对多元一些，人生舞台相对要大一些。

对一部广为传诵的文学作品来说，仅有真情实感是不够的，还要有高超的写作技巧，尽管这种技巧读者并不一定都能明显感觉到。《浮生六记》在这方面颇有值得称道之处，全书恬淡从容，简洁明快，凡人真事，娓娓道来，看不到刻意雕琢的痕迹，事实上作者也反对这样做，其效果正如他本人所说的"人工而归于天然"。字里行间,深厚的文学修养和文字功力是可以感受得到的,无论是写人、叙事还是记景,都很别致,这种别致背后显然有作者的苦心在。随意不是随便,这也是一种文学技巧和境界,没有多年的修炼,是无法做到的。此外需要强调的是,作者本人是一位画家,又开过书画店,这种艺术修养和知识背景可以从其对各地山川风物精当优美的描绘中看出来,达到了诗情画意的境界。真情实感,加上生花妙笔,成就了一部优秀的文学作品。

斗转星移,沧海桑田,在作者身后,这个世界发生了太多太大的变化,仅仅二百多年的时间,沈复笔下的苏州、扬州、杭州、广州、荆州等,尽管地名还是原来的地名,但我们已如同置身于另外一个时空。全书篇幅不长,但内涵颇为丰富,特别是对山川风物、街市民巷、节庆民俗的描绘,逼真、生动,如同一幅幅清新明丽的江南风物画卷,给人印象至深。它让我们看到二百多年前苏州一带平民百姓真实的生活状态,它带给我们的也不仅仅是古今对比的感慨。对历史学家来说,它为研究江南文化提供了难得的第一手资料。

最后对这本书的相关整理事宜做一个交代:

本书正文选用朱剑芒所编的《美化文学名著丛刊》本为底本,该书于1936年刊行。之所以选用这个本子,主要有两个考虑:一是这个本子的校勘比较精,错误不多;二是它首次刊出了第五、六卷,是一个"全本"。同时还参考了其他三种整理本,即俞平伯校点的《浮生六记》(人民文学出版社1980年版)、罗宗阳校点的《浮生六记》(江西人民出版社1980年版)和金性尧、金文南所注的《浮生六记》(外三种,上海古籍出版社2000年版)。

本书的注释为简注,内容包括一些难解的词语、人名、地名、诗文典故等,只要读者能大体读懂的词语,就不再出注。对所注词语,简要说明词义,不作征引和发挥。

翻译以忠实于原著为原则,采用直译和意译相结合的方式,一方面紧扣正文进行翻译，另一方面则根据需要增删字句，加以变通，因为完全照原文直译，不仅很多地方难以翻译，毕竟白话与文言的表达方式有着很大的不同，而且读起来也别扭。标点符号的使用也按照白话文的习惯，并未刻意与原文标点一一对应。像《浮生六记》这样优美的文字，应该有较为通顺、流畅的翻译才是。在翻译过程中，还参考了林语堂的英文译本（笔者使用的版本为外语教学与研究出版社1999年版），受其启发颇多，这也是要进行说明的。

为了便于读者的理解和欣赏，书后还附上了《美化文学名著丛刊》所刊的第五、六卷，尽管已有过硬的材料证明它确系伪托之作，但它毕竟提供了一个有趣的话题，可以增加读者的阅读兴趣，同时也便于大家比较，看看《浮生六记》的文字是不是可以随便伪造。

尽管笔者自问还算认真努力，但限于个人的学识和能力，书中可能还存在不少问题，比如断字不当，注释有误，翻译不确，等等，欢迎读者诸君随时指出，以便将来有机会予以更正。

淮 茗
2009 年 6 月 24 日

目 录

第一卷　闺房记乐 ——————————————————— 11
第二卷　闲情记趣 ——————————————————— 51
第三卷　坎坷记愁 ——————————————————— 72
第四卷　浪游记快 ——————————————————— 113

附 录

第五卷　中山记历 ——————————————————— 183
第六卷　养生记逍 ——————————————————— 204

第一卷　闺房记乐

余生乾隆癸未冬十一月二十有二日①，正值太平盛世，且在衣冠之家，居苏州沧浪亭②畔，天之厚我，可谓至矣。东坡云："事如春梦了无痕。"③苟不记之笔墨，未免有辜彼苍之厚。因思《关雎》④冠三百篇之首，故列夫妇于首卷，余以次递及焉。所愧少年失学，稍识之无，不过记其实情实事而已，若必考订其文法，是责明于垢鉴⑤矣。

[注释]

①乾隆癸未冬十一月二十有二日：即公历1763年12月26日。

②沧浪亭：在今江苏苏州城南三元坊内，为苏州四大名园之一，在苏州现存诸园中年代最久，为宋苏舜钦所建。

③事如春梦了无痕：语出苏轼《正月二十日与潘、郭二生出郊寻春，忽记去年是日同至女王城作诗，乃和前韵》诗。

④《关雎》：《诗经》中的第一首诗歌，描写男女思慕的情景，作者借以表达其伉俪深情。

⑤鉴：镜子。

[译文]

我生于乾隆癸未年十一月二十二日那一天，当时正值太平盛世，且长在一个读书人家里，居住在苏州沧浪亭边。上天对我的厚爱，真是达到极点了。苏东坡曾说："事如春梦了无痕。"如果不把自己的所见所思记录下来，未免有负于上天的厚爱。想到《关雎》放在《诗经》的最前面，所以也把夫妇之事放到首卷，其他的事情则依次写下去。惭愧的是自己少年失学，水平有限，不过是记录一些实情实事而已。如果一定要考究文法修辞的话，就是苛求污垢的镜子发出光亮了。

余幼聘金沙[①]于氏，八龄而夭，娶陈氏。陈名芸，字淑珍，舅氏心余先生女也。生而颖慧，学语时，口授《琵琶行》[②]，即能成诵。四龄失怙[③]，母金氏，弟克昌，家徒壁立。芸既长，娴女红，三口仰其十指供给，克昌从师，脩脯[④]无缺。一日，于书簏中得《琵琶行》，挨字而认，始识字。刺绣之暇，渐通吟咏，有"秋侵人影瘦，霜染菊花肥"之句。余年十三，随母归宁[⑤]，两小无嫌，得见所作，虽叹其才思隽秀，窃恐其福泽不深，然心注不能释，告母曰："若为儿择妇，非淑姊不娶。"母亦爱其柔和，即脱金约指缔姻焉。此乾隆乙未七月十六日[⑥]也。

[注释]

①金沙：在今江苏南通。

②《琵琶行》：唐代诗人白居易诗作。

③失怙：父亲去世。

④脩脯：旧时付给老师的酬金。

⑤归宁：旧时出嫁的妇女回娘家。

⑥乾隆乙未七月十六日：1775年8月11日。

[译文]

我小时候曾和金沙于氏订婚，可惜她八岁的时候夭折了，后来娶的是陈氏。陈氏名叫芸，字淑珍，是我舅父心余先生的女儿。她生而颖慧，当初学习说话时，家里口授《琵琶行》，她就能背诵。

她四岁的时候,父亲去世,家里还有母亲金氏和弟弟克昌,家徒四壁,生活艰难。陈芸长大后,精通纺织、刺绣等女红,三口之家主要依靠她的十指为生。弟弟克昌从师学习,给先生的酬金从来没有短缺过。有一天,她从书筐里找到《琵琶行》,便逐字来认,这才开始识字。刺绣闲暇时间,渐渐懂得吟咏,写有"秋侵人影瘦,霜染菊花肥"这样的佳句。我十三岁的时候跟着母亲回姥姥家,因从小与芸关系融洽,得以见到她写的诗句。虽然赞叹她才思隽秀,但也担心她福泽不深。然而心思都在她身上,时刻不能放下,就告诉母亲说:"若是为儿子选择媳妇,非淑姐不娶。"母亲也喜欢芸的温柔和顺,当即摘下金戒指,缔结婚约。这一天正是乾隆乙未年的七月十六日。

是年冬,值其堂姊出阁①,余又随母往。芸与余同齿而长余十月,自幼姊弟相呼,故仍呼之曰淑姊。时但见满室鲜衣,芸独通体素淡,仅新其鞋而已。见其绣制精巧,询为己作,始知其慧心不仅在笔墨也。其形削肩长项,瘦不露骨,眉弯目秀,顾盼神飞,唯两齿微露,似非佳相。一种缠绵之态,令人之意也消。索观诗稿,有仅一联,或三、四句,多未成篇者,询其故,笑曰:"无师之作,愿得知己堪师者敲成之耳。"余戏题其签曰"锦囊佳句"②。不知夭寿之机此已伏矣。

[注释]

①出阁:女子出嫁。

②锦囊佳句:唐代诗人李贺外出,必带一锦囊,途中想到佳句,即写下放入囊中。因李贺年仅27岁而卒,故下文有"夭寿之机此已伏矣"之说。典出李商隐《李长吉小传》:"恒从小奚奴,骑距驴,背一古破锦囊,遇有所得,即书投囊中。及暮归,太夫人使婢受囊出之,见所书多,辄曰:'是儿要当呕出心乃已尔。'上灯与食,长吉从婢取书,研墨叠纸足成之,投他囊中。"

[译文]

这年冬天，正赶上其堂姐出嫁，我又跟随母亲前往舅父家。芸和我同龄但比我大十个月，我们两人从小以姐弟相称，所以我仍喊她淑姐。当时只见满屋子的人都穿着鲜艳的服装，只有淑姐芸衣着淡雅，仅换了一双新鞋而已。这双鞋绣制精巧，一问是她自己做的，这才知道其慧心不仅体现在笔墨上。她长得较为苗条，削肩长颈，瘦不露骨，眉弯目秀，两眼顾盼神飞，只是有两颗牙齿微微外露，难以称得上美貌。但是那种缠绵娇美的仪态，让人萌生爱恋之意，难以割舍。我要她的诗稿来看，发现有的只有一联，有的只有三四句，大多没有完成全篇。问她其中的缘故，她笑着说："这是没有老师指导的习作，希望得到了解自己能当老师的人来帮我推敲成篇。"我为其诗戏题签曰"锦囊佳句"。殊不知其短寿之机已潜伏于此。

是夜送亲城外，返已漏三下①。腹饥索饵②，婢妪以枣脯进，余嫌其甜。芸暗牵余袖，随至其室，见藏有暖粥并小菜焉。余欣然举箸，忽闻芸堂兄玉衡呼曰："淑妹速来。"芸急闭门曰："已疲乏，将卧矣。"玉衡挤身而入，见余将吃粥，乃笑睨芸曰："顷我索粥，汝曰'尽矣'，乃藏此专待汝婿耶？"芸大窘，避去，上下哗笑之。余亦负气，挈老仆先归。自吃粥被嘲，再往，芸即避匿，余知其恐贻人笑也。

[注释]

①漏三下：漏，漏刻，古代一种计时方法。漏三下，即三更时分。
②饵：食物。

[译文]

当天夜里到城外送亲，回来的时候已是三更时分，我饥肠辘辘，想找些东西吃。女仆拿来枣脯，我嫌它太甜不想吃。芸暗中牵了牵我的袖子，我跟着走进她的卧室，看到里面藏有准备好的热粥和小菜。我欣然举起筷子，忽然听到芸的堂兄玉衡在外面喊道："淑妹快来。"芸急忙关门说："我已疲乏，正准备睡觉呢。"玉衡从门缝挤了进来，看到我准备吃粥，就斜眼看着芸，笑道："刚才我跟你要粥，你说没有了，原来藏在这里专门招待女婿啊。"芸十分窘迫，躲了出去。一时间，满屋子的人都哈哈大笑起来。我也赌气带着老仆先回去了。自从吃粥的事被人嘲笑，我再去的时候，芸都要躲藏起来，我知道她是怕人笑话。

至乾隆庚子正月二十二日①花烛之夕，见瘦怯身材依然如昔，头巾既揭，相视嫣然。合卺②后，并肩夜膳，余暗于案下握其腕，暖尖滑腻，胸中不觉怦怦作跳。让之食，适逢斋期，已数年矣。暗计吃斋之初，正余出痘③之期，因笑谓曰："今我光鲜无恙，姊可从此开戒否？"芸笑之以目，点之以首。

[注释]

①乾隆庚子正月二十二日：1780年2月26日。

②合卺（jǐn）：旧时结婚仪式。

③出痘：出水痘，一种幼儿易患的传染性疾病。

[译文]

到乾隆庚子年正月二十二日的洞房花烛夜，我发现她身材依然那样瘦怯，红盖头揭去，两人相视一笑。喝过合卺酒，我们并肩而坐，一起吃夜宵。我悄悄地在桌子下握了握她的手腕，只觉得手指尖细温润，心不禁怦怦跳动。让她吃东西，正赶上她的斋期，她已经坚持好几年了。暗暗计算她当初吃斋的时间，正是我出痘的日子，于是笑着对她说："如今我身体光鲜无恙，姐姐也可从此开戒了吧？"芸眼中含笑，点了点头。

廿四日为余姊于归①，廿三国忌②不能作乐，故廿二之夜即为余姊款嫁。芸出堂陪宴，余在洞房与伴娘对酌，拇战辄北③，大醉而卧，醒则芸正晓妆未竟也。是日亲朋络绎，上灯后始作乐。廿四子正④，余作新舅送嫁，丑末⑤归来，业已灯残人静，悄然入室，伴妪盹于床下，芸卸妆尚未卧，高烧银烛，低垂粉颈，不知观何书而出神若此，因抚其肩曰："姊连日辛苦，何犹孜孜不倦耶？"芸忙回首起立曰："顷正欲卧，开橱得此书，不觉阅之忘倦。《西厢》之名，闻之熟矣，今始得见，真不愧才子之名，但未免形容尖薄耳。"余笑曰："唯其才子，笔墨方能尖薄。"伴妪在旁促卧，令其闭门先去。遂与比肩调笑，恍同密友重逢。戏探其怀，亦怦怦作跳，因俯其耳曰："姊何心舂⑥乃尔耶？"芸回眸微笑。便觉一缕情丝摇人魂魄，拥之入帐，不知东方之既白。

[注释]

①于归：女子出嫁。

②国忌：古代皇帝、皇后去世的日子，民间禁止有娱乐活动。

③拇战：划拳。北：败北，失败。

④子正：相当于午夜12点。

⑤丑末：相当于凌晨3点。

⑥心舂：心跳。

[译文]

本来二十四日是我姐姐出嫁的日子，但二十三日是国忌不能娱乐，因此就在二十二日夜里为我姐姐举办婚礼。芸出去陪客，我便在洞房里和伴娘喝酒，但每次划拳都失败，结果喝得大醉，躺在床上。醒来的时候，芸正起来化早妆还没有结束。当天亲朋好友络绎不绝，晚上点灯之后才开始欢庆。二十四日子夜，我身为新舅去送嫁，直到凌晨丑末时分才回来，当时已经灯残人静。悄悄走进卧室，只见伴娘正在床边打盹。芸虽已卸妆，但还没有睡觉，正点着蜡烛，低着头，不知在看什么书如此入迷，我摸着她的肩膀说："姐姐连日辛苦，为什么还这样孜孜不倦呢？"芸急忙回头，站起身来说："刚才正想睡觉，打开书橱看到这本书，不知不觉，读得忘了疲倦。《西厢记》的书名听起来很熟悉，今天才得以看到，真不愧才子之名，只是书中所写未免尖薄了些。"我笑着说："惟其是才子，笔墨才能如此尖薄。"此时伴娘在旁边催促我们休息，我让她关门先走。这才与芸并肩坐在一起调笑起来，大家好像密友重逢一样。我伸手摸摸她的胸口，感到她的心头也在怦怦跳动。于是俯在她的耳边悄悄问道："姐姐的心为什么跳得这么快呢？"芸回眸莞尔一笑，只觉得一缕情丝动人魂魄，于是我拥着她进入帐内。不知不觉，天已经亮了。

　　芸作新妇，初甚缄默，终日无怒容，与之言，微笑而已。事上以敬，处下以和，井井然未尝稍失。每见朝暾①上窗，即披衣急起，如有人呼促者然。余笑曰："今非吃粥比矣，何尚畏人嘲耶？"芸曰："曩②之藏粥待君，传为话柄，今非畏嘲，恐堂上道新娘懒惰耳。"余虽恋其卧而德其正，因亦随之早起。自此耳鬓相磨，亲同形影，爱恋之情，有不可以言语形容者。

[注释]

①朝暾（tūn）：初升的太阳。

②曩（nǎng）：以往，从前。

[译文]

　　芸刚过门当新媳妇那一阵子，起初很是沉默，整天没有不开心的表情，和她说话，也只是微笑而已。上对公婆孝敬，下对晚辈和气，做事很有条理，没有什么闪失。每天早上看见太阳照到窗户，她便急忙穿衣起床，好像有人催促似的。我笑着说："如今不是吃粥时可比了,还怕别人嘲笑吗?"芸说:"当初藏粥招待你,被人传为笑柄。如今不是害怕别人嘲笑,而是担心公婆说新娘懒惰啊。"我虽对她睡在身边有些留恋,却觉得她做得正确,因此也随其早起。自此,两人耳鬓厮磨,形影不离,那种爱恋的情感是语言所不能描绘的。

而欢娱易过,转瞬①弥月。时吾父稼夫公在会稽②幕府,专役相迓③,受业于武林④赵省斋先生门下。先生循循善诱,余今日之尚能握管,先生力也。归来完姻时,原订随侍到馆。闻信之余,心甚怅然,恐芸之对人堕泪。而芸反强颜劝勉,代整行装,是晚,但觉神色稍异而已。临行,向余小语曰:"无人调护,自去经心。"及登舟解缆,正当桃李争妍之候,而余则恍同林鸟失群,天地异色。到馆后,吾父即渡江东去。

[注释]

①转瞬:转眼间,指时间过得很快。

②会稽:今浙江绍兴。

③迓(yà):迎接。

④武林:今浙江杭州。

[译文]

欢娱的时光容易度过,转眼间已过去一个月。当时我父亲稼夫公正在会稽做幕府,专门派人来接我,让我跟随杭州赵省斋先生学习。先生循循善诱,我今天还能握笔写作,都是得益于先生的教诲。回家完亲的时候,原计划随后要到先生那里继续学习。得到要走的消息,心里感到很是怅然,担心芸会对人落泪。没想到她却强打笑脸来规劝安慰我,给我收拾行装,那天晚上只是觉得她神色稍有些异样而已。临走前,她对我小声叮嘱道:"外出无人照料,自己要多当心。"登上船,解开缆绳,此时正是桃李争妍的时节,而我却恍然如失群的林鸟,感到天地间的颜色都改变了。到了杭州后,父亲即渡江向东走了。

居三月,如十年之隔。芸虽时有书来,必两问一答,半多勉励词,余皆浮套语,心殊怏怏①。每当风生竹院,月上蕉窗,对景怀人,梦魂颠倒。先生知其情,即致书吾父,出十题而遣余暂归。喜同戍人②得赦,登舟后,反觉一刻如年。及抵家,吾母处问安毕,入房,芸起相迎,握手未通片语,而两人魂魄恍恍然③化烟成雾,觉耳中惺然④一响,不知更有此身矣。

[注释]

①怏(yàng)怏:不高兴或没精打采的样子。
②戍人:古代驻守边关的将士。
③恍恍然:好像,仿佛。
④惺然:象声词。

[译文]

在此地仅住了三个月,感觉却如同十年一样漫长。芸虽然不时有书信过来,但必定是两问一答,大多为勉励之词,其余都是些客套话,我心里很是不高兴。每当风生竹院,月上蕉窗,我对景怀人,梦魂颠倒。先生知道我的情况,就给我父亲写信,出了十道题,让我暂且回家。我高兴得如同守边的兵士得到赦免。登上船后,反倒觉得一刻如同一年一样缓慢。回到家里,去母亲那里问安之后,走进自己房里,芸站起来迎接,手握在一起还没有说话,两人的魂魄仿佛化成了烟雾,只觉得耳中惺然一响,都不知道还有此身了。

时当六月,内室炎蒸①。幸居沧浪亭爱莲居西间壁,板桥内一轩临流,名曰"我取",取"清斯濯缨,浊斯濯足"②意也。檐前老树一株，浓阴覆窗，人面俱绿。隔岸游人往来不绝。此吾父稼夫公垂帘宴客处也。禀命吾母，携芸消夏于此。因暑罢绣，终日伴余课书论古，品月评花而已。芸不善饮，强之可三杯，教以射覆③为令。自以为人间之乐，无过于此矣。

[注释]

①炎蒸：炎热。

②清斯濯（zhuó）缨，浊斯濯足：语出《孟子·离娄上》："有孺子歌曰：'沧浪之水清兮，可以濯我缨；沧浪之水浊兮，可以濯我足。'孔子曰：'小子听之，清斯濯缨，浊斯濯足矣。自取之也。'"濯：洗。

③射覆：一种带有猜谜性质的酒令。

[译文]

当时正是六月，室内闷热。幸好我们住在沧浪亭爱莲居西隔壁，板桥内有间房子临水，名叫"我取"，这是取"清斯濯缨，浊斯濯足"的意境。房前有棵老树，浓荫覆盖着窗户，把人的面容都映成绿色。隔岸游人往来不绝，这是我父亲稼夫公垂帘宴客的地方。禀告母亲之后，我便带芸到这里消夏。因为天热，她不再刺绣做活，而是整天陪着我读书论古，品月评花。芸不善于饮酒，勉强可喝上三杯，我教她行射覆这种酒令。自以为人世间的快乐，再没有超过这个的了。

一日，芸问曰："各种古文，宗何为是？"余曰："《国策》、《南华》①，取其灵快；匡衡、刘向，取其雅健；史迁②、班固，取其博大；昌黎取其浑；柳州取其峭；庐陵取其宕；三苏取其辩；③他若贾、董策对，庾、徐骈体，④陆贽奏议，取资者不能尽举，在人之慧心领会耳。"芸曰："古文全在识高气雄，女子学之，恐难入彀⑤，唯诗之一道，妾稍有领悟耳。"余曰："唐以诗取士，而诗之宗匠，必推李、杜，卿爱宗何人？"芸发议曰：

"杜诗锤炼精纯，李诗潇洒落拓，与其学杜之森严，不如学李之活泼。"余曰："工部为诗家之大成，学者多宗之，卿独取李，何也？"芸曰："格律谨严，词旨老当，诚杜所独擅。但李诗宛如姑射仙子⑥，有一种落花流水之趣，令人可爱。非杜亚于李，不过妾之私心宗杜心浅，爱李心深。"余笑曰："初不料陈淑珍乃李青莲知己。"芸笑曰："妾尚有启蒙师白乐天⑦先生，时感于怀，未尝稍释。"余曰："何谓也？"芸曰："彼非作《琵琶行》者耶？"余笑曰："异哉，李太白是知己，白乐天是启蒙师，余适字三白，为卿婿，卿与'白'字何其有缘耶？"芸笑曰："白字有缘，将来恐白字连篇耳（吴音呼别字为白字）。"相与大笑。余曰："卿既知诗，亦当知赋之弃取。"芸曰："《楚辞》为赋之祖，妾学浅费解。就汉、晋人中调高语炼，似觉相如为最。"余戏曰："当日文君之从长卿⑧，或不在琴而在此乎？"复相与大笑而罢。

[注释]

①《国策》：《战国策》。《南华》：《南华经》，即《庄子》。

②史迁：司马迁。

③昌黎、柳州、庐陵、三苏：昌黎即韩愈，柳州即柳宗元，庐陵即欧阳修，三苏即苏洵、苏轼、苏辙。

④贾、董、庾、徐：贾即贾谊，董即董仲舒，庾即庾信，徐即徐陵。

⑤入彀：合乎要求，达到标准。

⑥姑射仙子：《庄子·逍遥游》中所描绘的女神形象。

⑦白乐天：白居易，字乐天。

⑧文君之从长卿：指司马相如与卓文君的爱情故事。相传卓文君为富商之女，被司马相如的琴声打动，两人相爱后一起私奔。

[译文]

有一天，芸问道："各种古文，应当学哪一家为好？"我说：

"《战国策》、《南华经》，取其灵快；匡衡、刘向，取其雅健；司马迁、班固，取其博大；韩愈取其浑厚；柳宗元取其峭拔；欧阳修取其挥洒；三苏取其明辩；其他如贾谊、董仲舒的策对，庾信、徐陵的骈体，陆贽的奏议，可以取资的人还有很多，无法全都列举出来，关键在各人的慧心领会了。"芸说："古文全在识高气雄，女子学习恐怕难以入门。唯有诗歌一道，我稍稍有些领悟。"我说："唐代以诗取士，诗的宗匠必定首推李白、杜甫，你喜欢学习哪一个呢？"芸发议论道："杜诗锤炼精纯，李诗潇洒落拓，与其学杜甫的森严，倒不如学李白的活泼。"我说："杜工部为诗家集大成者，学诗的人多效法他。而你独取李白，为什么呢？"芸说："格律严谨，词旨老当，这的确是杜甫所擅长的，而李白的诗宛如姑射仙子，有一种落花流水之趣，令人可爱。并不是杜甫不如李白，只不过是我学习杜甫的心浅，喜欢李白的心深罢了。"我笑道："没想到陈淑珍是李青莲的知己。"芸笑着说："我还有启蒙老师白乐天先生，时感于怀，未尝忘记。"我说："这是怎么说呢？"芸说："他不是《琵琶行》的作者吗？"我笑着说："真是神奇啊，李太白是你的知己，白乐天是你的启蒙老师，我恰好字'三白'，是你的夫婿，你与'白'字怎么这么有缘分呢？"芸笑着说："'白'字有缘，将来恐怕会'白'字连篇呢（吴语将'别'字读作'白'字）。"我们互相大笑起来。我说："你既然懂诗，也应当知道赋的弃取吧。"芸说："《楚辞》是赋的祖师，我学识肤浅，难以理解。就汉、晋人而言，调高语炼，似乎觉得司马相如最好。"我开玩笑说："当日卓文君跟着司马相如，或许不在琴而在此吧？"两人又大笑起来，结束了闲谈。

余性爽直，落拓不羁；芸若腐儒，迂拘多礼。偶为披衣整袖，必连声道"得罪"；或递巾授扇，必起身来接。余始厌之，曰："卿欲以礼缚我耶？语①曰：'礼多必诈。'"芸两颊发赤，曰："恭而有礼，何反言诈？"余曰："恭敬在心，不在虚文。"芸曰："至亲莫如父母，可内敬在心而外肆狂放耶？"余曰："前言戏之耳。"芸曰："世间反目，多由戏起，后勿冤妾，令人郁死。"余乃挽之入怀，抚慰之，始解颜为笑。自此，"岂敢"、"得罪"，竟成语助词矣。鸿案相庄②，廿有三年，年愈久而情愈密。家庭之内，或暗室相逢，窄途邂逅，必握手问曰："何处去？"私心忒忒③，如恐旁人见之者。实则同行并坐，初犹避人，久则不以为意。芸或与人坐谈，见余至，必起立，偏挪其身，余就而并焉。彼此皆不觉其所以然者，始以为惭，继成不期然而然。独怪老年夫妇相视如仇者，不知何意。或曰："非如是，焉得白头偕老哉？"斯言诚然欤？

[注释]

①语：俗语，俗话。

②鸿案相庄：指夫妻间相敬相爱，关系融洽。典出《后汉书·逸民传·梁鸿》："鸿家贫而有节操。妻孟光，有贤德。每食，光必对鸿举案齐眉，以示敬重。"

③忒（tè）忒：小心谨慎的样子。

[译文]

我生性爽直，言行随便，不拘小节。而芸却像腐儒一样，拘泥多礼。偶尔为她披披衣服，整整衣袖，她必定连声说："得罪，得罪。"给她递手巾、送扇子，她也一定要站起来接。我起初看不惯，说："你是要用礼节来约束我吧？俗话说：'礼多必诈。'"芸脸红了起来，问道："恭敬有礼，为什么反说我虚伪呢？"我答道："恭敬在心，而不在表面形式。"芸说："至亲莫如父母，难道对待他们可以内敬在心，外表放肆吗？"我说："我前面说的都是开玩笑呢。"芸说："世间反目多由玩笑而起，以后你不要冤枉我，让人郁闷而死。"我把她搂在怀里,抚慰了一阵子,她这才露出笑容。从此之后,"岂敢"、"得罪"竟成为她的语助词了。我们相亲相爱,在一起生活了二十三年。时间越长,感情也就越深。在家里,或暗室相遇,或窄路碰到,必定握手问道:"到哪里去?"两人小心谨慎,好像害怕旁人看到一样。事实上,就是同行并坐,当初还避开别人,时间长了也就不在意了。芸有时和人坐着聊天,看到我过来,必定站起来,偏挪身子,我就挨着她坐下。彼此也都没有想过为什么要这样做,开始还有些羞愧,继而习惯成自然。奇怪的是有些老年夫妇相互如仇人一样,不明白这是什么缘故。有人说:"如果不这样,怎么能白头偕老呢?"事实真的如此吗?

是年七夕①,芸设香烛瓜果,同拜天孙②于我取轩中。余镌"愿生生世世为夫妇"图章二方,余执朱文,芸执白文,③以为往来书信之用。是夜,月色颇佳,俯视河中,波光如练,轻罗小扇,并坐水窗,仰见飞云过天,变态万状。芸曰:"宇宙之大,同此一月,不知今日世间,亦有如我两人之情兴否?"余曰:"纳凉玩月,到处有之。若品论云霞,或求之幽闺绣闼④,慧心默证者,固亦不少。若夫妇同观,所品论者,恐不在此云霞耳。"未几,烛烬月沉,撤果归卧。

[注释]

①七夕:即七夕节,又名"乞巧节"。民间传统节日,时间在农历七月初七。年轻女性在这一天通常要摆上瓜果乞巧,比赛针线织绣手艺。

②天孙:织女星,民间相传织女是天帝的孙女。

③朱文、白文:在印章中,字凸出者叫阳刻,为朱文;字凹进者叫阴刻,为白文。

④闼(tà):门。

[译文]

这一年的七夕,芸准备了香烛瓜果,和我一起在我取轩拜织女星。我刻了"愿生生世世为夫妇"的两枚印章，我拿朱文的，芸拿白文的，以作往来书信之用。当天夜里，月色皎洁，俯看河中，波光如练。我们摇着扇子，并排坐在临水的窗户前。抬头看着飞云过天，变幻万状。芸说："宇宙这么大，大家同在一个月亮下，不知今日世间，是否也有人像我们二人这样有情趣、有兴致？"我说："纳凉赏月，到处都有。若是品论云霞，在深幽闺房中寻找慧心默证者，固然也有不少。若是夫妻一起观赏，所品论的内容恐怕就不在云霞上了。"不久，蜡烛燃尽，月亮西沉，我们撤去瓜果，回屋休息。

七月望，俗谓之鬼节①，芸备小酌，拟邀月畅饮。夜忽阴云如晦，芸愀然②曰："妾能与君白头偕老，月轮当出。"余亦索然。但见隔岸萤光，明灭万点，梳织于柳堤蓼渚③间。余与芸联句，以遣闷怀，而两韵之后，逾联逾纵，想入非夷，随口乱道。芸已漱涎涕泪，笑倒余怀，不能成声矣。觉其鬓边茉莉浓香扑鼻，因拍其背，以他词解之曰："想古人以茉莉形色如珠，故供助妆压鬓，不知此花必沾油头粉面之气，其香更可爱，所供佛手，当退三舍矣。"芸乃止笑曰："佛手乃香中君子，只在有意无意间；茉莉是香中小人，故须借人之势，其香也如胁肩谄笑。"余曰："卿何远君子而近小人？"芸曰："我笑君子爱小人耳。"正话间，漏已三滴④，渐见风扫云开，一轮涌出，乃大喜，倚窗对酌。酒未三杯，忽闻桥下哄然一声，如有人堕。就窗细瞩，波明如镜，不见一物，惟闻河滩有只鸭急奔声。余知沧浪亭畔素有溺鬼，恐芸胆怯，未敢即言，芸曰："噫，此声也，胡为乎来哉？"不禁毛骨皆栗。急闭窗，携酒归房，一灯如豆，罗帐低垂，弓影杯蛇，惊神未定。剔灯入帐，芸已寒热大作。余亦继之，困顿两旬。真所谓乐极灾生，亦是白头不终之兆。

[注释]

①鬼节：又称"盂兰盆节"、"中元节"，民间传统节日，时间在农历七月十五。人们在这一天通常要祭祀死去的先人及鬼神。

②愀然：表情严肃或不愉快。

③渚（zhǔ）：水中小块陆地。

④漏已三滴：漏滴是古代计时工具漏壶滴下的水点。此处漏三滴指深更半夜。

[译文]

七月十五，俗称"鬼节"。芸准备了酒菜，打算邀月畅饮。这天夜里，忽然阴云密布，天色昏暗，芸有些不高兴，说："我如果能和你白头偕老的话，月亮应出来才是。"我也感到没有兴致。只见对岸萤火明灭，如繁星万点，散布在柳堤蓼渚间。我和芸联句，以排遣心中的郁闷。但是联完两韵之后，就越联越没有章法了，奇思妙想，随口乱说。芸笑得眼泪都流了出来，倒在我怀里，说不出话来。我发现她鬓角的茉莉浓香扑鼻，于是拍着她的背用其他话来排解道："想来古人因茉莉形色像珍珠，所以用来助妆压鬓，岂不知此花必须沾染油头粉面的气味，其香味才更可爱，所供的佛手都要退避三舍。"芸止住笑说："佛手是香中的君子，香气只在有意无意之间；茉莉是香中的小人，因此必须借助人势，它的香味好像献媚讨好一样。"我问："那你为什么要远君子而近小人呢？"芸说："我只是笑那种爱小人的君子罢了。"正说话间，已到三更。渐渐看到风扫云开，一轮明月涌出。我们都很高兴，就坐在窗前饮酒。酒还没喝三杯，忽听桥下哄的一声，好像有人落水。到窗边仔细一看，水面波明如镜，什么都没看到，只听到河滩上有只鸭子急切逃奔的声音。我知道沧浪亭边常有人淹死，担心芸会害怕，所以没敢当即说出来。芸问："噫，这个声音是从哪里来的呢？"我们不禁感到毛骨悚然。急忙关上窗户，带着酒回到屋里。此时一灯如豆，罗帐低垂，真是杯弓蛇影，我们吓得惊神未定。等到剔灯入帐的时候，芸已经发烧了，我也跟着发热，昏沉了二十来天。这就是所说的乐极生灾吧，也是我们不能白头偕老的预兆。

中秋日，余病初愈。以芸半年新妇，未尝一至间壁之沧浪亭，先令老仆约守者，勿放闲人。于将晚时，偕芸及余幼妹，一妪一婢扶焉，老仆前导，过石桥，进门折东，由径而入。叠石成山，林木葱翠，亭在土山之巅。循级至亭心，周遭极目可数里，炊烟四起，晚霞烂然。隔岸名"近山林"，为大宪行台①宴集之地，时正谊书院②犹未启也。携一毯设亭中，席地环坐，守者烹茶以进。少焉，一轮明月已上林梢，渐觉风生袖底，月到波心，俗虑尘怀，爽然顿释。芸曰："今日之游乐矣，若驾一叶扁舟，往来亭下，不更快哉？"时已上灯，忆及七月十五夜之惊，相扶下亭而归。吴俗，妇女是晚不拘大家小户皆出，结队而游，名曰"走月亮"。沧浪亭幽雅清旷，反无一人至者。

[注释]

①大宪行台：官员巡游时的住所。

②正谊书院：在沧浪亭北，清嘉庆十年（1805）由两江总督铁保、江苏巡抚汪志伊创建。

[译文]

到了中秋节，我的病才好。芸做了半年新娘，还没有去过一次隔壁的沧浪亭，于是先让老仆和看守亭子的人约好，不要放闲人进去。天快黑的时候，我带着芸和小妹，让一个老妇人和一个女仆搀扶着她们。老仆在前面带路，过了石桥，进门往东拐，沿着小路进去。只见这里叠石成山，树木翠绿。亭在土山顶上，沿着台阶走到亭中央，四周可以看到数里远，此时远处炊烟四起，晚霞灿烂。对岸叫"近山林"，是地方官员巡游玩乐的地方，此时正谊书院还没有修建。我们带了一张毯子铺在亭子里，大家席地围坐，看亭子的人不时进来端茶倒水。过了一会儿，一轮明月升上树梢，渐渐觉得袖底生风，月光映照河中，看到此景，心里的那些俗念尘思一下都消失了。芸说："今天的游览非常开心，若是坐着小船往来亭下，岂不是更畅快？"这时已到上灯时分，回想起七月十五日夜里受到的惊吓，于是大家便相互搀扶着下亭子回家。吴地的风俗，这天晚上，不管大家还是小户的妇女都要出来，结队游览，称做"走月亮"。沧浪亭幽雅清旷，反倒没有一个人过来。

吾父稼夫公喜认义子，以故余异姓弟兄有二十六人。吾母亦有义女九人，九人中王二姑、俞六姑与芸最和好。王痴憨善饮，俞豪爽善谈。每集，必逐余居外，而得三女同榻，此俞六姑一人计也。余笑曰："俟妹于归后，我当邀妹丈来，一住必十日。"俞曰："我亦来此，与嫂同榻，不大妙耶？"芸与王微笑而已。

[译文]

我父亲稼夫喜欢认义子，因此我的异姓弟兄达到二十六人。我母亲也有九个义女，九人当中王二姑、俞六姑和芸关系最好。王二姑性格憨直，善于饮酒；俞六姑则豪爽健谈。她们每次聚会，都要把我赶到外间去住，三人因此同床而睡，这都是俞六姑一个人出的主意。我笑着对她说："等到妹妹出嫁后，我一定邀请妹婿过来，一住必定十天。"俞六姑说："那我也来这里，和嫂子同榻，岂不是更好吗？"芸与王二姑只是在一旁微笑着。

时为吾弟启堂娶妇，迁居饮马桥之仓米巷①。屋虽宏畅，非复沧浪亭之幽雅矣。吾母诞辰演剧，芸初以为奇观。吾父素无忌讳，点演《惨别》②等剧，老伶刻画，见者情动。余窥帘，见芸忽起去，良久不出。入内探之，俞与王亦继至。见芸一人支颐独坐镜奁之侧③，余曰："何不快乃尔？"芸曰："观剧原以陶情，今日之戏徒令人断肠耳。"俞与王皆笑之。余曰："此深于情者也。"俞曰："嫂将竟日独坐于此耶？"芸曰："俟有可观者再往耳。"王闻言先出，请吾母点《刺梁》、《后索》等剧④，劝芸出观，始称快。

[注释]

①饮马桥、仓米巷：饮马桥在今苏州人民路与十梓街、道前街交会处。仓米巷在今苏州市第二人民医院。

②《惨别》：当即《惨睹》，为清无名氏（一说为李玉所作）《千忠戮》中的一出。

③支颐：用手托着下巴。镜奁：为古代妇女盛放梳妆用具的匣子。

④《刺梁》：清朱佐朝《渔家乐》中的一出。《后索》：清姚子懿《后寻亲记》中的一出。

[译文]

当时因弟弟启堂娶媳妇，我们就迁到饮马桥附近的仓米巷居住。这里房子虽然宽敞，但不如沧浪亭那里幽雅。我母亲生日演戏，芸起初感到新奇。我父亲平素没什么忌讳，点了《惨别》等戏，老演员演得很精彩，看的人无不动情。我悄悄掀起帘子，看到芸忽然站起身进了里屋，很久都不出来。我进去探望，王二姑和俞六姑也跟了进来，只见芸一个人手托下巴坐在梳妆台旁边。我问："为什么这样不高兴？"芸答："看戏原本是为了陶冶性情，但今天的戏只会让人伤心断肠。"俞六姑、王二姑都笑她。我说："这是重情感的人啊。"俞六姑问："嫂子准备一整天都独坐在这里吗？"芸说："等到有可看的戏再去。"王二姑听了之后，先出去，请我母亲点了《刺梁》、《后索》等戏，然后劝芸出去看，她这才开心起来。

余堂伯父素存公早亡,无后,吾父以余嗣焉。墓在西跨塘福寿山①祖茔之侧,每年春日,必挈芸拜扫。王二姑闻其地有戈园之胜,请同往。芸见地下小乱石有苔纹,斑驳可观,指示余曰:"以此叠盆山,较宣州②白石为古致。"余曰:"若此者,恐难多得。"王曰:"嫂果爱此,我为拾之。"即向守坟者借麻袋一,鹤步而拾之。每得一块,余曰"善",即收之;余曰"否",即去之。未几,粉汗盈盈,拽袋返曰:"再拾则力不胜矣。"芸且拣且言曰:"我闻山果收获,必藉猴力,果然。"王愤撮十指作哈痒状,余横阻之,责芸曰:"人劳汝逸,犹作此语,无怪妹之动愤也。"

[注释]

①西跨塘福寿山:在今苏州市吴中区木渎镇东郊。
②宣州:在今安徽宣州市。

[译文]

我堂伯父素存公去世较早,没有后人,我父亲就把我过继给他。他的墓地在西跨塘福寿山祖坟旁边,每年春天,我都会带着芸一起去扫墓。王二姑听说这个地方有座戈园,于是请求一同前往。芸看到地面的乱石上有青苔一样的纹理,斑驳可观,就指着给我看,说:"用它来垒盆景中的假山,比宣州的白石更为古雅别致。"我说:"若要这样的石头,恐怕找不到多少。"王二姑说:"嫂嫂既然喜爱这东西,我来给她捡。"随即向守坟的人要了一个麻袋,便弯着腰像鹤那样走着捡起来。每捡到一块,我说:"可以。"她就收起来。我说:"不好。"她便丢下。不久,王二姑累得粉汗淋漓,拖着麻袋回来说:"再捡就没有力气了。"芸一边捡一边说:"我听说山上果子收获时,一定要借助猴子的力量,果然如此。"王二姑生气地并拢十指,要挠芸的痒痒。我过去拦着她,责怪芸说:"人家劳累,你闲着,还说这样的话,难怪妹妹要生气了。"

归途游戈园，稚绿娇红，争妍竞媚。王素憨，逢花必折，芸叱曰："既无瓶养，又不簪戴，多折何为？"王曰："不知痛痒者，何害？"余笑曰："将来罚嫁麻面多须郎，为花泄忿。"王怒余以目，掷花于地，以莲钩①拨入池中，曰："何欺侮我之甚也？"芸笑解之而罢。

[注释]

①莲钩：旧时女人的小脚。

[译文]

回来的途中大家一起游览戈园，只见翠绿娇红，百花争艳。王二姑一向憨直，看到花就折。芸训斥她道："既没有花瓶可插，又不戴在头上，折多了有什么用呢？"王二姑说："这些花又不知道痛痒，多折了有什么害处？"我笑着对她说："将来罚你嫁一个麻脸、多胡子的女婿，好为这些花出气。"王二姑对我怒目以视，把花扔在地上，用小脚踢到水池里，说道："你为什么这样欺辱我？"芸笑着劝解，才算罢休。

芸初缄默，喜听余议论。余调其言，如蟋蟀之用纤草，渐能发议。

[译文]

芸起初寡言少语，喜欢听我发议论。我调动她说话的兴趣，就像用纤草撩拨蟋蟀一样，后来她渐渐能说出个人的见解。

其每日饭必用茶泡，喜用茶泡食芥卤乳腐，吴俗呼为臭乳腐，①又喜食虾卤瓜②。此二物，余生平所最恶者，因戏之曰："狗无胃而食粪，以其不知臭秽；蜣螂团粪而化蝉，以其欲修高举也。卿其狗耶？蝉耶？"芸曰："腐取其价廉而可粥可饭，幼时食惯,今至君家,已如蜣螂化蝉,犹喜食之者,不忘本也。至卤瓜之味,到此初尝耳。"余曰:"然则我家系狗窦耶?"芸窘而强解曰:"夫粪,人家皆有之,要在食与不食之别耳。然君喜食蒜,妾亦强啖③之。腐不敢强,瓜可掩鼻略尝,入咽当知其美,此犹无盐④貌丑而德美也。"余笑曰:"卿陷我作狗耶?"芸曰:"妾作狗久矣,屈君试尝之。"以箸强塞余口。余掩鼻咀嚼之,似觉脆美,开鼻再嚼,竟成异味,从此亦喜食。芸以麻油加白糖少许拌卤腐,亦鲜美;以卤瓜捣烂拌卤腐,名之曰双鲜酱,有异味。余曰:"始恶而终好之,理之不可解也。"芸曰:"情之所钟,虽丑不嫌。"

[注释]

①芥卤乳腐、臭乳腐:苏州本地用豆腐做的一种小吃。

②虾卤瓜:苏州本地小吃,一种用鱼卤腌制的黄瓜。

③啖(dàn):吃。

④无盐:钟离春,战国时齐国无盐人,貌丑,年四十犹未嫁。后齐宣王感其德,立其为王后。这里意在说明,虾卤瓜闻起来不好,但味道很美。

[译文]

芸每天吃饭必用茶泡,喜欢用茶泡食芥卤乳腐,吴语俗称其为臭乳腐。她还喜欢吃虾卤瓜。这两样东西都是我平生最厌恶的,因此调侃她说:"狗没有胃吃屎,因为它不知道臭味污秽;蜣螂团粪化蝉,因为它想往高处飞。你是狗呢,还是蝉呢?"芸说:"臭乳腐价钱便宜,可就粥可下饭,我小时吃惯了,如今嫁到你家,已像蜣螂化蝉了。仍旧喜欢吃它,是因为我不忘本啊。至于卤瓜的味道,还是到你家才尝到的。"我说:"那么我家就是狗洞了?"芸有些尴尬,于是强辩道:"粪便人人家里都有,关键在吃与不吃的区别。你喜欢吃蒜,我也勉强吃点。臭乳腐我不敢强迫你吃,不过卤瓜可掩着鼻子稍微尝点,咽下去后就知道它的味道好了,这就好像无盐相貌丑陋但品德高尚一样。"我笑着说:"你是要诱骗我当狗吗?"芸说:"我当狗已经很长时间了,委屈你也尝尝吧。"便用筷子夹着强塞到我嘴里。我捂着鼻子咀嚼,似乎觉得爽脆可口。松开鼻子再嚼,竟然觉得味道很别致,从此也喜欢吃了。芸用麻油加少许白糖来搅拌臭乳腐,味道也很鲜美。把卤瓜捣烂来拌臭乳腐,称其为"双鲜酱",味道很别致。我说:"开始厌恶最终却喜欢上了,道理上难以说通。"芸答道:"情之所钟,即使丑陋也不嫌弃。"

余启堂弟妇,王虚舟先生孙女也。催妆①时偶缺珠花,芸出其纳采②所受者呈吾母,婢妪旁惜之,芸曰:"凡为妇人,已属纯阴,珠乃纯阴之精,用为首饰,阳气全克矣,何贵焉?"而于破书残画,反极珍惜。书之残缺不全者,必搜集分门,汇订成帙③,统名之曰"断简残编";字画之破损者,必觅故纸,粘补成幅,有破缺处,倩余全好而卷之,名曰"弃余集赏"。于女红、中馈④之暇,终日琐琐,不惮⑤烦倦。芸于破笥⑥烂卷中,偶获片纸可观者,如得异宝,旧邻冯妪每收乱卷卖之。

[注释]

①催妆:旧时婚俗,结婚之前,男方派人到女方家,催促新娘装扮出嫁。

②纳采:旧时订婚仪式。

③帙(zhì):量词,用于指成套的线装书。

④中馈(kuì):日常饮食等事务。

⑤惮(dàn):怕。

⑥笥(sì):盛食物或衣物的方形竹器。

[译文]

我弟弟启堂的媳妇是王虚舟先生的孙女。因催妆时偶尔缺少珠花,芸就把她接纳彩礼时所得的珠花拿给我母亲,女仆在一旁替她惋惜。芸说:"身为女人,已属纯阴,珍珠更是纯阴之精,用来做首饰，身上的阳气全都被克了，有什么可珍贵的呢？"但是对于破书旧画，芸反倒非常珍惜。残缺不全的书，她一定要分门别类地归置好，汇订成册，统称其为"断简残编"。遇到破损的字画，她必定要寻找适合的纸张，粘补成幅，有破损的地方，就请我补好后卷起来，并称其为"弃余集赏"。在忙完女红、家务的闲暇时间，她整天忙乎这件事，不厌其烦。在这些破简烂卷中，偶然发现片纸可观，芸就像获得异宝一样。邻居家的老妇人经常收些残书烂卷来卖给她。

其癖好与余同，且能察眼意，懂眉语。一举一动，示之以色，无不头头是道。余尝曰："惜卿雌而伏，苟能化女为男，相与访名山，搜胜迹，遨游天下，不亦快哉。"芸曰："此何难，俟妾鬓斑之后，虽不能远游五岳，而近地之虎阜、灵岩①，南至西湖，北至平山②，尽可偕游。"余曰："恐卿鬓斑之日，步履已艰。"芸曰："今世不能，期以来世。"余曰："来世卿当作男，我为女子相从。"芸曰："必得不昧今生，方觉有情趣。"余笑曰："幼时一粥，犹谈不了，若来世不昧今生，合卺之夕，细谈隔世，更无合眼时矣。"芸曰："世传月下老人专司人间婚姻事，今生夫妇，已承牵合，来世姻缘，亦须仰藉神力，盍③绘一像祀之？"时有苕溪④戚柳堤名遵，善写人物。倩绘一像：一手挽红丝，一手携杖，悬姻缘簿，童颜鹤发，奔驰于非烟非雾中。此戚君得意笔也。友人石琢堂⑤为题赞语于首，悬之内室。每逢朔望，余夫妇必焚香拜祷。后因家庭多故，此画竟失所在，不知落在谁家矣。"他生未卜此生休"⑥，两人痴情，果邀神鉴耶？

[注释]

①虎阜、灵岩：虎阜即虎丘，在今苏州西北；灵岩在今苏州西南木渎镇。
②平山：在今江苏扬州。

③盍（hé）：何不。

④苕溪：浙江吴兴县别称，因境内苕溪流过而得名。

⑤石琢堂：石韫玉（1757～1837），字执如，号琢堂，江苏吴县人。乾隆庚戌（1790）科状元。

⑥他生未卜此生休：语出唐李商隐《马嵬》诗。

[译文]

芸的爱好和我相同，且能察言观色，读懂眉语。一举一动，稍有暗示，她都能说得头头是道。我曾说："可惜你是个女的，出门不便。若能变成男的，咱们一起访名山，搜胜迹，云游天下，岂不是很开心？"芸说："这有什么难的，等到我鬓发变白之后，虽然不能远游五岳，但比较近的地方如虎丘、灵岩，南到西湖，北至平山，都还可以尽情游览。"我说："恐怕到鬓发变白的那一天，你又走不动了。"芸说："今生不行的话，期待来世吧。"我说："来世你做男人，我做女人相随。"芸说："一定得不忘今生，才觉得有情趣。"我笑道："连小时候一碗粥的事情都说个不休，若是来世不忘今生，新婚之夜，大家细谈前世，恐怕都没有合眼的时间了。"芸说："世上相传月下老人专管人间婚姻之事，我们今生做夫妻已承他牵线，来世的姻缘也要仰仗他的神力，何不画一张像来祭祀？"当时苕溪有位戚柳堤名遵，善画人物。便请他画了一幅月老像，画中月老一手挽红丝，一手携拐杖，杖上挂着姻缘簿，鹤发童颜，行进在非烟非雾中。这是戚君的得意之笔。好友石琢堂在上面题写赞语。我把它挂在卧室里，每到月初、月中，我们必定焚香拜祷。后因家里多变故，这幅画竟然找不到，不知流落在谁家了。古人云："他生未卜此生休。"我们两个人的深情是否果真能为神仙所明察？

迁仓米巷，余颜其卧楼曰"宾香阁"，盖以芸名而取如宾意也。院窄墙高，一无可取。后有厢楼，通藏书处，开窗对陆氏废园，但有荒凉之象。沧浪风景，时切芸怀。

[译文]

迁居到仓米巷，我给自己所住的那座楼取名为"宾香阁"，其中包含芸的名字，且取夫妇相敬如宾之意。院窄墙高，没有什么可取之处。后面有间厢房通往藏书的地方，打开窗子，正对着陆氏废园，只有一派荒凉的景象。沧浪亭的风景时时让芸牵挂。

有老妪居金母桥①之东、埂巷之北，绕屋皆菜圃，编篱为门。门外有池，约亩许，花光树影，错杂篱边，其地即元末张士诚②王府废基也。屋西数武，瓦砾堆成土山，登其巅，可远眺，地旷人稀，颇饶野趣。妪偶言及，芸神往不置，谓余曰："自别沧浪，梦魂常绕，今不得已而思其次，其老妪之居乎？"余曰："连朝秋暑灼人，正思得一清凉地以消长昼，卿若愿往，我先观其家可居，即襆③被而往，作一月盘桓，何如？"芸曰："恐堂上不许。"余曰："我自请之。"越日④，至其地，屋仅二间，前后隔而为四，纸窗竹榻，颇有幽趣。老妪知余意，欣然出其卧室为赁，四壁糊以白纸，顿觉改观。于是，禀知吾母，挈芸居焉。邻仅老夫妇二人，灌园为业，知余夫妇避暑于此，先来通殷勤，并钓池鱼、摘园蔬为馈，偿其价，不受，芸作鞋报之，始谢而受。

[注释]

①金母桥：又名"鸡鸣桥"，横跨锦帆泾，1931年因锦帆泾填塞成路，桥遂废。

②张士诚：张士诚（1321~1367），泰州人。元末举兵起义，曾于苏州建立吴政权。

③襆（fú）：包扎。

④越日：明日，第二天。

[译文]

有位老妇人住在金母桥以东，埂巷以北。房屋四周都是菜园，以篱笆为门。门外有个池子，约一亩见方，花光树影，错落在篱笆附近，这个地方原是元末张士诚王府的遗址。屋子西边不远处，瓦砾堆积成山，登上去可以眺望远方。这里地旷人稀，颇有野趣。老妇人偶然提及，芸神往不已，对我说："自从离开沧浪亭，一直魂牵梦绕。如今不得已退求其次，我们到老妇人那里住吧。"我说："连续多日秋暑灼人，我正想找一个清凉的地方来消磨长昼，你若是愿意过去，我先看看她家是否可住，行的话我们带着行装过去，住上一个月，如何？"芸说："就怕婆婆不答应。"我说："我去求她。"第二天，我到老妇人住的地方去，看到其房屋只有两间，前后隔为四小间，纸窗竹榻，颇有幽趣。老夫人知道我的来意，欣然把她的卧室租给我们。随后将四面墙壁糊上白纸，顿时觉得焕然一新。于是，回家禀告母亲，然后带着芸住到这里。邻居只有老夫妇二人，以种菜为生，他们看到我们夫妇在这里避暑，经常来串门，还把从池子里钓的鱼、从园子里摘的菜送给我们，给钱他们不要，芸做了几双鞋作为回报，他们表示感谢之后收下了。

时方七月，绿树阴浓，水面风来，蝉鸣聒[①]耳。邻老又为制鱼竿，与芸垂钓于柳阴深处。日落时，登土山，观晚霞夕照，随意联吟，有"兽云吞落日，弓月弹流星"之句。少焉，月印池中，虫声四起，设竹榻于篱下，老妪报酒温饭熟，遂就月光对酌，微醺[②]而饭。浴罢，则凉鞋蕉扇，或坐或卧，听邻老谈因果报应事。三鼓归卧，周体清凉，几不知身居城市矣。篱边倩邻老购菊，遍植之。九月花开，又与芸居十日。吾母亦欣然来观，持螯对菊，赏玩竟日。芸喜曰："他年当与君卜筑于此，买绕屋菜园十亩，课仆妪，植瓜蔬，以供薪水。君画我绣，以为诗酒之需。布衣菜饭，可乐终身，不必作远游计也。"余深然之。今即得有境地，而知己沦亡，可胜浩叹。

[注释]

①聒(guō)：嘈杂。

②醺：酒醉。

[译文]

当时正值七月，绿树成荫，水面吹来凉风，蝉鸣阵阵。邻居家的老人还给我们做了鱼竿，我和芸就坐在柳荫下垂钓。日落的时候，我们登上土山，看晚霞夕照。随意联句，曾吟出"兽云吞落日，弓月弹流星"这样的佳句。不久，月影印在池水中，虫声四起，则把竹榻放在篱笆下。老妇人告知酒温菜熟，于是对着月光小酌，微微有些酒意后再吃饭。洗浴之后，穿着凉鞋，拿着芭蕉扇，或坐或躺，听邻家老人说些因果报应的故事。三更时分，回房睡觉，浑身清凉，几乎忘记自己是住在城市里。请邻家老人买了些菊花种苗，在篱笆边种了一大片。九月花开，又和芸在这里住了十天。我母亲也欣然过来观赏，一边吃螃蟹一边赏菊，玩了一整天。芸高兴地说："将来应当和你住在这里，在房屋周围买上十亩菜地，让仆人种植瓜果蔬菜，以供日用开销。你画画，我绣织，以备诗酒之用。布衣菜饭，可乐终身，不必再作远游的打算了。"我深有同感。如今即便有这样的好地方，而知己却已沦亡，让人不禁为之感叹。

离余家半里许，醋库巷有洞庭君祠①，俗呼水仙庙②。回廊曲折，小有园亭，每逢神诞，众姓各认一落，密悬一式之玻璃灯，中设宝座，旁列瓶几，插花陈设，以较胜负。日惟演戏，夜则参差高下，插烛于瓶花间，名曰"花照"。花光灯影，宝鼎香浮，若龙宫夜宴。司事者或笙箫歌唱，或煮茗清谈，观者如蚁集，檐下皆设栏为限。余为众友邀去，插花布置，因得躬逢其盛。归家向芸艳称之，芸曰："惜妾非男子，不能往。"余曰：

"冠我冠，衣我衣，亦化女为男之法也。"于是，易髻为辫，添扫蛾眉；加余冠，微露两鬓，尚可掩饰；服余衣，长一寸又半；于腰间折而缝之，外加马褂。芸曰："脚下将奈何？"余曰："坊间有蝴蝶履③，大小由之，购亦极易，且早晚可代撒鞋④之用，不亦善乎？"芸欣然。

[注释]

①醋库巷：在今苏州凤凰街。洞庭君祠：祭祀洞庭神的庙宇。洞庭这里指太湖。

②水仙庙：在今苏州醋库巷右苍龙堂，于20世纪50年代被毁。

③蝴蝶履：旧时女子所穿的一种蝴蝶式的鞋子。

④撒鞋：拖鞋。

[译文]

在离我家半里左右的醋库巷，有一座供奉洞庭君的神祠，俗称水仙庙。里面回廊曲折，有几处亭台。每逢洞庭神的生日，人们就按姓氏各自选定一个地方，秘密悬挂一种样式的玻璃灯，中间设置宝座，旁边陈列花瓶，瓶中插花布置，相互比较出胜负。白天只是演戏，晚上则高低错落，把蜡烛插在瓶花间，人们称之为花照。花光灯影，宝鼎香浮，如同龙宫中举办夜宴一样。管事的人或笙箫歌唱，或煮茗清谈，来观看的人络绎不绝，只得在房檐下设置栏杆来进行限制。我被好友们请去，布置插花等，因此得以躬逢这样的盛事。回家后向芸绘声绘色地讲述，芸说："可惜我不是男人，不能去看。"我说："戴我的帽子，穿我的衣服，也是化女为男的好办法。"于是芸把盘髻放下，编成辫子，把眉毛画粗些，带上我的帽子，两鬓微露，但还可以掩饰过去。穿我的衣服，长了一寸半，就在腰间折了几道缝上，外面加件马褂。芸说："脚下怎么办呢？"我说："街上有卖蝴蝶履的，大小可随意挑选，很容易买到，而且早晚还可以当拖鞋穿，这不是很好吗？"芸欣然接受了我的建议。

及晚餐后，装束既毕，效男子拱手阔步者良久，忽变卦曰："妾不去矣，为人识出既不便，堂上闻之又不可。"余怂恿曰："庙中司事者谁不知我，即识出，亦不过付之一笑耳。吾母现在九妹丈家，密去密来，焉得知之。"芸揽镜自照，狂笑不已。余强挽之，悄然径去，遍游庙中，无识出为女子者。或问何人，以表弟对，拱手而已。最后至一处，有少妇、幼女坐于所设宝座后，乃杨姓司事者之眷属也。芸忽趋彼通款曲①，身一侧，而不觉一按少妇之肩，旁有婢媪怒而起曰："何物狂生，不法乃尔。"余欲为措词掩饰，芸见势恶，即脱帽翘足示之曰："我亦女子耳。"相与愕然，转怒为欢，留茶点，唤肩舆②送归。

[注释]

①通款曲：问候，打招呼。

②肩舆：轿子。

[译文]

吃过晚饭之后，芸装扮完毕，模仿男人的样子拱手阔步，练习了半天，突然变卦，说道："我不去了，被人认出来多有不便，被婆婆知道了也不行。"我怂恿她说："庙里管事的人谁不认识我，即便认出来，也不过付之一笑罢了。我母亲现在九妹丈家，悄悄地去，再悄悄回来，她哪里会知道。"芸拿着镜子照自己，大笑不已。我使劲拉着她，悄悄过去，游遍了庙里，也没人认出她是女的。有人问我是谁，我就以表弟来回答，芸和他们不过拱手打招呼而已。最后到了一个地方，有位少妇和小女孩坐在所设的宝座后，她们是一个姓杨的管事人的眷属。芸忽然要过去和她们打招呼，不料身子一侧，不自觉地按了一下少妇的肩膀。旁边有个女仆站起来怒斥道："什么地方来的狂生，敢这样不守法纪。"我正要找借口来掩饰，芸见势头不妙，就脱下帽子，把脚跷起来给她们看，说道：

"我也是女的。"对方很是吃惊,随后转怒为欢,让芸留下来一起吃茶点,后来又叫了顶轿子把芸送回家。

吴江①钱师竹病故,吾父信归②,命余往吊③。芸私谓余曰:"吴江必经太湖,妾欲偕往,一宽眼界。"余曰:"正虑独行踽踽④,得卿同行,固妙,但无可托词耳。"芸曰:"托言归宁。君先登舟,妾当继至。"余曰:"若然,归途当泊舟万年桥⑤下,与卿待月乘凉,以续沧浪韵事。"时六月十八日也。是日早凉,携一仆先至胥江⑥渡口,登舟而待,芸果肩舆至。解维出虎啸桥⑦,渐见风帆沙鸟,水天一色。芸曰:"此即所谓太湖耶?今得见天地之宽,不虚此生矣。想闺中人有终身不能见此者。"闲话未几,风摇岸柳,已抵江城⑧。

[注释]

①吴江:今苏州吴江市。

②信归:写信回来。

③吊:凭吊,祭奠。

④踽(jǔ)踽:落寞、孤独的样子。

⑤万年桥:苏州西胥门外护城河上的一座古桥。始建于唐代,后被毁,今已重建。

⑥胥江:在今苏州西南,为古运河,呈东西向穿过苏州,东接护城河,西至京杭大运河。

⑦虎啸桥:在今苏州元和镇小日晖桥弄西,跨康履桥河。

⑧江城:指吴江。

[译文]

吴江钱师竹病故,我父亲写信回来,让我前去吊唁。芸私下对我说:"去吴江必定经过太湖,我想和你一起去,开阔一下眼界。"我说:"我正考虑一个人走有些孤单,你能和我同行固然很好,只是找不到合适的借口。"芸说:"我就说回娘家,你先登船,我随后就到。"我说:"如果这样的话,回来的时候就把船停在万年桥下,和你一起待月乘凉,以延续沧浪亭的韵事。"那天是六月十八日。当天清早,天气凉爽,我带着一个仆人先到胥江渡口,登上船等着,不久芸果然坐着轿子来了。解开船缆出虎啸桥,渐渐看到风帆沙鸟,水天一色。芸说:"这就是所说的太湖吗?今日得以看到天地之宽,真是不虚此生了,想想很多女人终身都不能看到这样的风景。"两人闲聊没多长时间,只见风摇岸柳,吴江已经到了。

余登岸拜奠毕,归视舟中洞然①,急询舟子。舟子指曰:"不见长桥柳阴下,观鱼鹰捕鱼者乎?"盖芸已与船家女登岸矣。余至其后,芸犹粉汗盈盈,倚女而出神焉。余拍其肩曰:"罗衫汗透矣。"芸回首曰:"恐钱家有人到舟,故暂避之。君何回来之速也?"余笑曰:"欲逋逃②耳。"于是,相挽登舟,返棹至万年桥下,阳乌③犹未落也,舟窗尽落,清风徐来,纨扇罗衫,剖瓜解暑。少焉,霞映桥红,烟笼柳暗,银蟾④欲上,渔火满江矣。

[注释]

①洞然:空空的样子。

②逋逃:逃跑,逃亡。

③阳乌:太阳。

④银蟾:月亮。

[译文]

我登岸拜祭之后,回到船上,发现里面空空如也,急忙去问船夫,船夫用手指着说:"你没有瞧见长桥柳荫下那个看鱼鹰捕鱼的人吗?"原来芸已经和船家女登岸了。我走到她们身后,看到芸香汗淋淋,斜靠着船家女正看得出神。我拍拍她的肩膀说:"罗衫被汗湿透了。"她回过头来说道:"我担心钱家有人来船上,所以暂时回避一下。你怎么回来得这么快?"我笑着说:"准备逃跑啊。"于是我们挽手登船,船行至万年桥下,太阳还没有落山。船上的窗子都已落下,清风徐来,像扇子吹动着罗衫,船家开瓜解暑。过了一会儿,晚霞映红了桥身,烟笼柳暗。月亮将要升起,江面上渔火点点。

命仆至船梢,与舟子同饮。船家女名素云,与余有杯酒交,人颇不俗,招之与芸同坐。船头不张灯火,待月快酌,射覆为令。素云双目闪闪,听良久,曰:"觞政①侬颇娴习,从未闻有斯令,愿受教。"芸即譬其言而开导之,终茫然。余笑曰:"女先生且罢论,我有一言作譬,即了然矣。"芸曰:"君若何譬之?"余曰:"鹤善舞而不能耕,牛善耕而不能舞,物性然也,先生欲反而教之,无乃劳乎?"素云笑捶余肩曰:"汝骂我耶?"芸出令曰:"只许动口,不许动手。违者罚大觥②。"素云量豪,满斟一觥,一吸而尽。余曰:"动手但准摸索,不准捶人。"芸笑挽素云置余怀,曰:"请君摸索畅怀。"余笑曰:"卿非解人,摸索在有意无意间耳,拥而狂探,田舍郎之所为也。"时四鬓所簪茉莉,为酒气所蒸,杂以粉汗油香,芳馨透鼻,余戏曰:"小人臭味充满船头,令人作恶。"素云不禁握拳连捶曰:"谁教汝狂嗅耶?"芸呼曰:"违令,罚两大觥。"素云曰:"彼又以小人骂我,不应捶耶?"芸曰:"彼之所谓小人,盖有故也。请干此,当告汝。"素云乃连尽两觥,芸乃告以沧浪旧居乘凉事。素云曰:"若然,真错怪矣,当再罚。"又干一觥。芸曰:"久闻素娘善歌,可一聆妙音否?"素即以象箸③击小碟而歌。芸欣然畅饮,不觉酩酊,乃乘舆先归。余又与素云茶话片刻,步月而回。

[注释]

① 觞(shāng)政:酒令。觞,古时酒器。

②觥（gōng）：一种兽形酒器。
③象箸：象牙做的筷子。

[译文]

　　我让仆人到船尾去和船夫一起饮酒。船家女名叫素云，和我曾在一起喝过酒，人颇不俗，因此叫她和芸坐在一起。船头没有点灯，大家对着月光痛饮，我们准备行射覆的酒令，素云张大双眼，听了很久，说道："我对酒令也挺熟悉的，但从未听说过这种酒令，想跟你们学学。"芸便打比方来给她讲解，但素云始终感到茫然。我笑着说："女先生还是算了，我有一句话打比方，马上就能说清楚。"芸说："你怎么打比方呢？"我说："鹤善于跳舞但不能耕田，牛善于耕田但不能跳舞，这是动物的天性。女先生想违背天性来教她，这不是徒劳吗？"素云笑着捶我的肩膀，说道："你是在骂我吗？"芸出令说："只许动口，不许动手。违者罚喝一大杯酒。"素云酒量很好，满满地斟了一杯酒，一饮而尽。我说："动手只可以摸索，但不准捶人。"芸笑着把素云推到我怀里，说道："请你摸索畅怀。"我笑着说："你不是善解人意之人，摸索要在有意无意之间，抱住狂摸，这是田舍郎干的事情。"此时芸和素云双鬓所戴的茉莉花被酒气熏染，夹杂着粉汗油香，香气扑鼻。我调侃道："小人的臭味弥漫船上，令人难受。"素云不禁又握起拳头连捶起来，说道："谁让你伸着鼻子乱闻了？"芸喊道："违令，罚两大杯酒。"素云说："他又骂我是小人，难道不应该捶他吗？"芸答道："他所说的小人，是有典故的。请喝干了酒，我再告诉你。"素云于是连喝了两大杯酒。芸便把我们当年在沧浪亭旧居乘凉的故事告诉了她。素云说："若是这样的话，真是错怪了，应当再罚一杯。"于是又喝了一杯酒。芸说："很早就听说素云擅长唱歌，能聆听一下妙音吗？"素云就用象牙筷敲击着小菜碟，唱了起来。芸欣然畅饮，不知不觉就喝醉了，于是坐车先回家。我又和素云喝茶聊了一会儿天，这才踏着月光回家。

时余寄居友人鲁半舫①家萧爽楼中。越数日，鲁夫人误有所闻，私告芸曰："前日闻若婿挟两妓饮于万年桥舟中，子知之否？"芸曰："有之，其一即我也。"因以偕游始末详告之，鲁大笑，释然而去。

[注释]

①鲁半舫：鲁璋，字近人，号半舫，江苏吴县人。《国朝书人辑略》卷七谓其"书学郑谷口，间参板桥法"。同书卷二云其"善写松柏及梅菊，工隶书，兼工铁笔"。

[译文]

当时我借住在朋友鲁半舫家的萧爽楼中。过了几天，鲁夫人误听到别人的传言，私下里告诉芸说："听说你夫婿前几天带着两个妓女在万年桥下的船里喝酒，你知道吗？"芸答道："是有这么回事，其中一个就是我。"于是便将我们两人一起游玩的始末详细地讲给她听。鲁夫人听后大笑，放心地走开了。

乾隆甲寅①七月，余自粤东归。有同伴携妾回者，曰徐秀峰，余之表妹婿也。艳称新人之美，邀芸往观。芸他日谓秀峰曰："美则美矣，韵犹未也。"秀峰曰："然则若郎纳妾，必美而韵者乎？"芸曰："然。"从此痴心物色，而短于资。

[注释]

①乾隆甲寅：1794年。

[译文]

乾隆甲寅年七月，我从广东回来。有位同伴带着妾回家，他叫徐秀峰，是我表妹的丈夫。秀峰炫耀新人漂亮，请芸过去看。过了几天，芸对徐秀峰说："漂亮确实是漂亮，但还没有风韵。"徐秀峰问道:"如果你夫君纳妾,一定要漂亮且有风韵的吗?"芸说:"那当然。"从此她便痴心地为我物色,可惜缺少金钱。

时有浙妓温冷香者,寓于吴,有咏柳絮四律,沸传吴下,好事者多和之。余友吴江张闲憨素赏冷香,携柳絮诗索和。芸微①其人而置之,余技痒而和其韵,中有"触我春愁偏婉转,撩他离绪更缠绵"之句,芸甚击节。

[注释]

①微:轻视,看不起。

[译文]

当时有个浙江妓女叫温冷香,寄居在吴地,写了四首咏柳絮的诗歌,在当地传得沸沸扬扬,许多人与她唱和。我的好友张闲憨向来赏识温冷香,便带着咏柳絮诗来让我唱和。芸看不上这个人,就把它丢在一边。我一时技痒,照着她的韵来写,其中有"触我春愁偏婉转,撩他离绪更缠绵"这样的句子,芸很是赞赏。

明年乙卯秋八月五日①,吾母将挈芸游虎丘②,闲憨忽至曰:"余亦有虎丘之游,今日特邀君作探花使者。"因请吾母先行,期于虎丘半塘相晤,拉余至冷香寓。见冷香已半老,有女名憨园,瓜期未破③,亭亭玉立,真"一泓秋水照人寒"④者也,款接间,颇知文墨。有妹文园,尚雏。余此时初无痴想,且念一杯之叙,非寒士所能酬,而既入个中,私心忐忑,强为酬答。因私谓闲憨曰:"余贫士也,子以尤物玩我乎?"闲憨笑曰:"非也,今日有友人邀憨园答我,席主为尊客拉去,我代客转邀客,毋烦他虑也。"余始释然。

[注释]

①乙卯秋八月五日:1795年9月17日。

②虎丘：在今苏州城西北，有"吴中第一名胜"之誉。

③瓜期未破：古时称女子十六岁为破瓜，此处指年纪不满十六岁。

④一泓秋水照人寒：化用唐崔珏《有赠》诗，原诗为："一眸春水照人寒。"

[译文]

第二年，也就是乙卯年秋八月五日，我母亲准备带着芸去虎丘游玩，张闲憨忽然来到我家说："我也要去虎丘游玩，今天特意邀请你去做探花使者。"于是我请母亲她们先走，约定在虎丘半塘见面。张闲憨拉着我来到温冷香的寓所，只见人已半老。她有个女儿叫憨园，还未满十六岁，长得亭亭玉立，真可称得上"一泓秋水照人寒"。寒暄之间，得知其颇通文墨。她有个妹妹叫文园，还很小。我此时并没有痴心妄想，同时想到，一杯之叙，并不是我这个寒士所能负担的。但已经进来了，心里有些忐忑不安，只好勉强应酬。因此私下里对张闲憨说："我是个贫寒之士，你不会拿这位尤物来戏弄我吧？"张闲憨笑着说："不是的，今天有个朋友邀请憨园来款待我，可惜主人被尊客拉走，我代表主人再来邀请客人，你不要有其他什么顾虑。"我这才放下了心。

至半塘，两舟相遇，令憨园过舟，叩见吾母。芸、憨相见，欢同旧识，携手登山，备览名胜。芸独爱千顷云高旷，坐赏良久。返至野芳滨①，畅饮甚欢，并舟而泊。及解维，芸谓余曰："子陪张君，留憨陪妾，可乎？"余诺之。返棹至都亭桥②，始过船分袂③。归家已三鼓，芸曰："今日得见美而韵者矣，顷已约憨园明日过我，当为子图之。"余骇曰："此非金屋不能贮，穷措大④岂敢生此妄想哉？况我两人伉俪正笃，何必外求？"芸笑曰："我自爱之，子姑待之。"

[注释]

①野芳滨：即冶坊滨，在今苏州虎丘，作者于第四卷云："其冶坊滨，余

戏改为'野芳滨'。"

②都亭桥：又名"都林桥"，在今苏州东中市，桥已不存。

③分袂（mèi）：分手，离别。

④穷措大：穷书生。

[译文]

到了半塘，两只船相遇，我让憨园到另一只船上，来拜见我母亲。芸与憨园相见，如同老朋友一样融洽，她们携手登山，饱览当地名胜。芸独爱千顷云的高旷，坐下来观赏了很久。回到野芳滨，大家开怀畅饮，两只船停在一起。等到解缆开船时，芸对我说："你陪张君，把憨园留下来陪我，可以吗？"我答应了，返途走到都亭桥，这才各自回到自己的船上离开。回到家里，已是三更时分，芸说："我今天得以见到漂亮又有韵味的人了，刚才已约憨园明日来看我，要为你考虑了。"我惊讶地说："这样的人非金屋不能藏，我一个穷读书人哪敢有这样的妄想？何况我们两个感情正好，何必外求？"芸笑着说："我自己喜欢她，你就等着吧。"

明午，憨果至。芸殷勤款接，筵中以猜枚赢吟输饮为令，终席无一罗致语。及憨园归，芸曰："顷又与密约，十八日来此，结为姊妹，子宜备牲牢①以待。"笑指臂上翡翠钏曰："若见此钏属于憨，事必谐矣，顷已吐意，未深结其心也。"余姑听之。十八日，大雨，憨竟冒雨至。入室良久，始挽手出，见余有羞色，盖翡翠钏已在憨臂矣。焚香结盟后，拟再续前饮，适憨有石湖②之游，即别去。芸欣然告余曰："丽人已得，君何以谢媒耶？"余询其详，芸曰："向之秘言，恐憨意另有所属也，顷探之，无他，语之曰：'妹知今日之意否？'憨曰：'蒙夫人抬举，真蓬蒿③倚玉树也，但吾母望我奢，恐难自主耳，愿彼此缓图之。'脱钏上臂时，又语之曰：'玉取其坚，且有团圞④不断之意，妹试笼之，以为先兆。'憨曰：'聚合之权，总在夫人也。'即此观之，憨心已得，所难必者，冷香耳，当再图之。"余笑曰："卿将效笠翁之《怜香伴》耶⑤？"芸曰："然。"自此，无日不谈憨园矣。

[注释]

①牲牢：牛、羊、猪等祭祀用的牲畜。

②石湖：在今苏州西南郊，太湖之滨。

③蓬蒿：泛指野草、荒草。

④团圞（luán）：团圆。

⑤笠翁、《怜香伴》：笠翁即李渔（1611~1680），号笠翁，江苏如皋人。《怜香伴》为李渔剧作，讲两美相怜、同嫁一夫的故事。

[译文]

第二天中午，憨园果然来了，芸殷勤款待。在酒席上大家以猜枚赢吟输饮为酒令，直到宴会结束都没说过罗致之类的话。憨园回去后，芸说："刚才我又和她悄悄约定，让她十八日来这里，我们要结为姐妹，你应当准备些牲牢等祭品等着。"她笑着指指手腕上的翡翠手镯说："你若是看到这个翡翠手镯属于憨园，事情就一定成了，刚才我已流露出自己的意思，但还没有深入了解她的内心。"我姑且听从她的安排。十八日那天，下着大雨，憨园竟然冒雨来了。到内室很长时间，两个人才挽着手出来。憨园看到我，面露羞色，因为翡翠手镯已戴在她的手上了。她俩焚香结盟之后，准备继续饮酒，恰好憨园要到石湖游玩，随即离开了。芸欣然告诉我说："丽人已经到手，你拿什么来谢我这个媒人呢？"我问她详细情况，芸说："先前悄悄地说，是担心憨园之心另有所属，刚才试探了一下还没有。我问她：'妹妹明白我今天的意思吗？'憨园说：'承蒙夫人抬举，我真是蓬蒿依玉树。只是我母亲对我期望很高，恐怕自己难以做主，我们彼此慢慢来策划这件事。'我脱下玉镯时，又对她说:'玉取其坚硬,且有团圆不断的意思,妹妹试着戴上,把它作为先兆吧。'憨园说:'聚合之权,总在夫人。'由此看来,憨园的心已得到,难以对付的是温冷香,我再慢慢来考虑这件事。"我笑着说:"你准备仿效李渔的《怜香伴》吧?"芸说:"是的。"从此她没有一天不谈论憨园。

后憨为有力者①夺去,不果。芸竟以之死。

[注释]

①有力者:有权势的人。

[译文]

后来憨园被有权势的人夺走,事情未能成功。芸最后死在这件事上。

第二卷　闲情记趣

余忆童稚时,能张目对日,明察秋毫。见藐小微物,必细察其纹理,故时有物外之趣。夏蚊成雷,私拟作群鹤舞空,心之所向,则或千或百果然鹤也。昂首观之,项为之强。又留蚊于素帐中,徐喷以烟,使其冲烟飞鸣,作青云白鹤观,果如鹤唳云端,怡然称快。于土墙凹凸处、花台小草丛杂处,常蹲其身,使与台齐,定神细视,以丛草为林,以虫蚁为兽,以土砾凸者为丘,凹者为壑,神游其中,怡然自得。一日,见二虫斗草间,观之正浓,忽有庞然大物,拔山倒树而来,盖一癞虾蟆①也,舌一吐而二虫尽为所吞。余年幼,方出神,不觉呀然②惊恐。神定,捉虾蟆,鞭数十,驱之别院。

[注释]

①癞虾蟆:又称癞蛤蟆、蟾蜍。

②呀然:因惊恐而张着嘴的样子。

[译文]

我记得自己童年时,能睁大眼睛对着太阳看,两眼明察秋毫。看到细小的东西,一定要仔细观察它的纹理,因此不时有物外的乐趣。夏天蚊声如雷,我把它们比作群鹤在空中飞舞。心里这样想,则看到的果然是或成千或上百只的鹤。仰起头一直看,脖子都僵硬了。我又把蚊子留在白色蚊帐里，慢慢地用烟喷，让它们冲着烟飞叫，把它们当做青云白鹤，果真它们就像鹤在云端鸣叫，怡然称快。在土墙的不平整处、花台杂草丛生的地方，我时常蹲下身子，蹲得和花台一样高，定神细看。把草丛看做树林，把虫蚁看做野兽，把泥土瓦砾看成山丘，低洼的地方就是沟谷，神游其中，怡然自得。一天，发现两只虫子在草丛间争斗，我正看得津津有味，忽然有个庞然大物拔山倒树而来，原来是一只癞蛤蟆。它把舌头一伸，两只虫子都被它吞下去了。我当时年纪还小，正看得出神，被这一景象吓得目瞪口呆。等心神平定下来，就捉住癞蛤蟆，鞭打了几十下，把它驱赶到别的院子里去了。

年长思之，二虫之斗，盖图奸不从也。古语云"奸近杀"①，虫亦然耶？贪此生涯，卵②为蚯蚓所哈（吴俗称阳曰卵），肿不能便。捉鸭开口哈之，婢妪偶释手，鸭颠其颈作吞噬状，惊而大哭，传为话柄。此皆幼时闲情也。

[注释]

①奸近杀：奸邪之行易招杀身之祸。

②卵：男性生殖器。

[译文]

长大之后思考这件事，两个小虫子争斗的起因大概是一方图奸，一方不从。古话说"奸近杀"，小虫子也是这样的吧？因贪恋这种乐趣，我的卵（吴语通常称阳具为卵）被蚯蚓吸得红肿不能小便。女仆们捉了只鸭子让它开口来吸，她们偶尔一松手，鸭子就伸着脖子作吞咽状，吓得我大哭，一时间传为笑柄。这都是我年幼时的闲情逸事。

及长，爱花成癖，喜剪盆树。识张兰坡，始精剪枝养节之法，继悟接花叠石之法。花以兰为最，取其幽香韵致也，而瓣品之稍堪入谱者，不可多得。兰坡临终时，赠余荷瓣素心春兰①一盆，皆肩平心阔，茎细瓣净，可以入谱者，余珍如拱璧。值余幕游于外，芸能亲为灌溉，花叶颇茂。不二年，一旦忽萎死，起根视之，皆白如玉，且兰芽勃然②。初不可解，以为无福消受，浩叹而已。事后始悉，有人欲分不允，故用滚汤③灌杀也。从此，誓不植兰，次取杜鹃，虽无香而色可久玩，且易剪裁。以芸惜枝怜叶，不忍畅剪，故难成树。其他盆玩皆然。

[注释]

①荷瓣素心春兰：一种稀见、名贵的兰花。

②勃然：充满生机的样子。

③滚汤：滚水、开水。

[译文]

长大之后，爱花成癖，喜欢修剪盆景。直到认识了张兰坡，才算是精通剪枝养节的方法，继而悟到了接花叠石的诀窍。花以兰花为最佳，这主要是取其幽香韵致，但瓣品稍能入谱的不可多得。兰坡临终的时候，送给我一盆荷瓣素心春兰，肩平心阔，茎细瓣净，这是可以入谱的，我爱之如珍宝。我到外地游幕的时候，芸亲自灌溉，花叶颇为繁茂。不到两年，突然枯萎死去。我拔出根来看，只见洁白如玉，还长出了新芽。起初感到难以理解，以为是自己没福消受，感叹一番也就作罢了。后来才知道是有人想要但没得到，便故意用滚烫的开水把它浇死。我发誓从此再不养兰花，退而求其次来种杜鹃，杜鹃虽无香味，但花色耐看，而且容易剪裁。因芸怜惜枝叶，不忍心让我大修大剪，所以很难成树。其他盆景也都是这样。

惟每年篱东菊绽，秋兴成癖。喜摘插瓶，不爱盆玩。非盆玩不足观，以家无园圃，不能自植。货于市者，俱丛杂无致，故不取耳。其插花朵，数宜单，不宜双。每瓶取一种，不取二色。瓶口取阔大，不取窄小，阔大者舒展不拘。自五、七花至三、四十花，必于瓶口中一丛怒起，以不散漫、不挤轧①、不靠瓶口为妙，所谓"起把宜紧"也。或亭亭玉立，或飞舞横斜。花取参差，间以花架，以免飞钹耍盘之病；叶取不乱，梗取不强，用针宜藏，针长宁断之，毋令针针露梗，所谓"瓶口宜清"也。视桌之大小，一桌三瓶至七瓶而止，多则眉目不分，即同市井之菊屏矣。几之高低，自三、四寸至二尺五、六寸而止，必须参差高下，互相照应，以气势联络为上。若中高两低，后高前低，成排对列，又犯俗所谓"锦灰堆"②矣。或密或疏，或进或出，全在会心者得画意乃可。

[注释]

①轧（gá）：拥挤。

②锦灰堆：又名"拾破画"，一种带有游戏色彩的绘画艺术。通常是对书房一角的随意勾勒，翻开的字帖、废弃的画稿、参差的秃笔乃至旧书、公残、帖文、私札、废契、短简等，皆可入画，将其加以组织，或似烬余，或如揉皱，风格独特。

[译文]

每年菊花绽放的时候，我便秋兴大发，喜欢摘些插在瓶内，而不爱养在盆里。不是说养在盆里不好看，而是因为家里没有园圃，不能亲自种植。市场上也有卖的，但大多杂乱无章，因此不要它们。插瓶的花朵宜单数，而不宜双数。每个瓶子只能插一种花，不要插两种。瓶子的开口要大些，不要用窄小的，因为瓶口大的花朵就可以舒展开。从五朵、七朵到三四十朵都可以，但一定要在瓶口中选一丛比较突出的，以不散漫、不拥挤、不靠瓶口为好，这就是通常所说的"起把宜紧"。至于花朵的形态，或亭亭玉立，或飞舞横斜。花朵之间要参差错落，用花架隔一下，以免出现飞钹耍盘的弊病。叶子要选较为齐整的，花梗应选不太硬的，用针的话要隐藏起来。如果针太长，宁愿弄断一截，也不要让针露出花梗，这就是通常所说的"瓶口宜清"。摆放则要看桌子的大小，一张桌子摆上三到七瓶为止，太多的话就眉目不清，如同市场上的菊屏了。几案的高低从三四寸到二尺五六寸为止，必须参差错落，互相照应，以彼此间协调连贯为好。如果中间高两边低，或者后高前低，成排成列，就犯了俗称"锦灰堆"的毛病了。或密或疏，或进或出，这都得看会心人能否领略诗情画意了。

若盆碗盘洗①，用漂青②、松香、榆皮、面和油，先熬以稻灰，收成胶。以铜片按钉向上，将膏火化，粘铜片于盘碗盆洗中。俟冷，将花用铁丝扎把，插于钉上，宜斜偏取势，不可居中，更宜枝疏瘦清，不可拥挤。然后加水，用碗沙少许，掩铜片，使观者疑丛花生于碗底方妙。

[注释]

①洗：一种盛水洗笔的器皿。

②漂青：一种绘画用的颜料。

[译文]

若是用盆、碗、盘、洗等器物，可以用漂青、松香、榆皮、面和油搅拌，加上稻灰熬制，得到胶。把铜片穿上钉子，钉尖朝上，再将熬制的胶熔化，把铜片粘在盘、碗、盆、洗里。等胶冷却后，把花用铁丝扎成一把，插在钉子上。要有些倾斜，不要插在器物的正中。更要枝疏瘦清，不能拥挤。然后加上清水，用少许细沙盖住铜片，让观赏的人以为丛花是从碗底自然生出的才好。

若以木本花果插瓶，剪裁之法（不能色色自觅，倩人攀折者,每不合意),必先执在手中,横斜以观其势,反侧以取其态。相定之后,剪去杂枝,以疏瘦古怪为佳。再思其梗如何入瓶,或折或曲,插入瓶口,方免背叶侧花之患。若一枝到手,先拘定其梗之直者插瓶中,势必枝乱梗强,花侧叶背,既难取态,更无韵致矣。折梗打曲之法,锯其梗之半而嵌以砖石,则直者曲矣。如患梗倒,敲一、二钉以箃①之。即枫叶竹枝,乱草荆棘,均堪入选。或绿竹一竿,配以枸杞数粒;几茎细草,伴以荆棘两枝。苟位置得宜,另有世外之趣。若新栽花木,不妨歪斜取势,听其盆侧,一年后枝叶自能向上。如树树直栽,即难取势矣。

[注释]

①箃(guǎn):支撑,固定。

[译文]

如果是用木本的花果插瓶,剪裁的方法大致如下(不能什么都自己去找,但请人折来的又常常不合意),一定要先把木本花果拿在手里,从横、斜两个角度看它的态势,再从反、侧两面看它的形态。选定之后,剪去杂枝,以疏瘦古怪为佳。然后再考虑如何将其插瓶,或折或曲,插到瓶口里,以避免叶背花侧的弊病。如果一枝到手,先机械地把直的部分插在瓶里,势必会造成枝乱梗强、花侧叶背,既难以取态,更不用说韵致了。折梗打曲的办法是,将树梗锯开一半,把砖石填在里面,这样直的就变弯了。如果担心树梗倒下来,可以敲进一两枚钉子来固定。即便是枫叶竹枝,乱草荆棘,也都可以用作插花的材料。或一竿青竹,配上几粒枸杞;或几根细草,配上两枝荆棘。只要布置恰当,另有世外的野趣。如果是新栽花木,不妨以歪斜取势,让它长在盆侧,一年后枝叶自然会向上生长。如果每棵都直着栽的话,就很难取势了。

至剪裁叶树,先取根露鸡爪者,左右剪成三节,然后起枝。

一枝一节，七枝到顶，或九枝到顶。枝忌对节如肩臂，节忌臃肿如鹤膝。须盘旋出枝，不可光留左右，以避赤胸露背之病；又不可前后直出，有名双起、三起者，一根而起两、三树也。如根无爪形，便成插树，故不取。然一树剪成，至少得三、四十年。余生平仅见吾乡万翁名彩章者，一生剪成数树。又在扬州商家见有虞山①游客携送黄杨、翠柏各一盆，惜乎明珠暗投，余未见其可也。若留枝盘如宝塔，扎枝曲如蚯蚓者，便成匠气矣。

[注释]

①虞山：在今江苏常熟。

[译文]

至于剪裁叶树，要先找那些根露在外面、形如鸡爪的，从左到右剪成三节，然后起枝。一枝一节，七枝到顶，或者九枝到顶。枝干上切忌对节，像肩膀那样齐整，节也不能臃肿得像鹤膝那样。树枝一定要盘旋而出，不能光留左右两侧的，以避免袒胸露背的毛病；也不能前后都是直的，有叫"双起"、"三起"的，是一个根上长出两三棵树。如果树根没有爪形，就成插树了，所以不能要这样的。一棵树剪裁成功，至少得三四十年的时间。我生平只见到同乡的万彩章老先生一生剪成了几棵树。此外还在扬州一个富商家里见到虞山游客所送的黄杨和翠柏各一盆，可惜明珠暗投，我没有看到他怎么珍爱。如果所留的枝干像宝塔那样盘旋着，树枝扭曲得像蚯蚓一样，那就有匠气了。

点缀盆中花石，小景可以入画，大景可以入神。一瓯①清茗，神能趋入其中，方可供幽斋之玩。种水仙无灵璧石②，余尝以炭之有石意者代之。黄芽菜心，其白如玉，取大小五、七枝，用沙土植长方盆内，以炭代石，黑白分明，颇有意思。以此类推，幽趣无穷，难以枚举。如石菖蒲③结子，用冷米汤同嚼喷炭上，置阴湿地，能长细菖蒲，随意移养盆碗中，茸茸可爱。以老莲子磨薄两头，入蛋壳，使鸡翼之，俟雏成取出，用久年燕巢泥加天门冬④十分之二，捣烂拌匀，植于小器中，灌以河水，晒以朝阳，花发大如酒杯，叶缩如碗口，亭亭可爱。

[注释]

①瓯（ōu）：杯子。

②灵璧石：又名"磬石"，产于安徽灵璧浮磐山，具有很高的观赏性。

③石菖蒲：多年生常绿草本植物。生长在我国长江流域以南地区，多见于山涧浅水石上，或溪流旁石缝中。

④天门冬：又名"武竹"、"天冬草"。多年生攀缘草本，有簇生纺锤形肉质块根。

[译文]

点缀盆中的花石，小景可以入画，大景可以神游其中。一杯清茶，能让人神游其中，才能供幽斋赏玩。种水仙没有灵璧石，我曾用有石头意味的木炭来替代。黄芽菜心，洁白如玉，找五株、七株大小不等的，用沙土种在长方盆里，用木炭代替石头，黑白分明，颇有意思。以此类推，幽趣无穷，难以一一列举。比如石菖蒲结子儿时，用冷米汤混合石菖蒲子儿，喷在木炭上，放在阴凉潮湿的地方，能长出细小的石菖蒲，随意移种在盆、碗里，绿茸茸的很可爱。把老莲子两头磨薄，放到蛋壳里，让母鸡来孵，等到发芽时取出来，再用多年的燕子巢穴的泥土，加上少许天门冬，捣烂拌匀，放到小容器里，用河水浇灌，早晨拿出去晒太阳，到后来，花朵大如酒杯，叶子缩得如碗口，亭亭玉立，很是可爱。

若夫园亭楼阁，套室回廊，叠石成山，栽花取势，又在大中见小，小中见大，虚中有实，实中有虚，或藏或露，或浅或深。不仅在"周回曲折"四字，又不在地广石多，徒烦工费。或掘地堆土成山，间以块石，杂以花草，篱用梅编，墙以藤引，则无山而成山矣。大中见小者，散漫处植易长之竹，编易茂之梅以屏之。小中见大者，窄院之墙宜凹凸其形，饰以绿色，引以藤蔓，嵌大石，凿字作碑记形，推窗如临石壁，便觉峻峭无穷。虚中有实者，或山穷水尽处，一折而豁然开朗；或轩阁设厨处，一开而可通别院。实中有虚者，开门于不通之院，映以竹石，如有实无也；设矮栏干墙头，如上有月台而实虚也。贫士屋少人多，当仿吾乡太平船①后梢之位置，再加转移。其间台级为床，前后借凑，可作三榻，间以板而裱以纸，则前后上下皆越绝②，譬之如行长路，即不觉其窄矣。余夫妇乔寓扬州时，曾仿此法，屋仅两椽，上下卧房、厨灶、客座皆越绝而绰然有余。芸曾笑曰："位置虽精，终非富贵家气象也。"是诚然欤？

[注释]

①太平船：一种游船。清李斗《扬州画舫录》卷十八："沙飞重檐飞舻，有小卷棚者谓之'太平船'。"

②越绝：隔绝，隔断。

[译文]

说到园亭楼阁，套室回廊，叠石成山，栽花取势，其妙处在大中见小，小中见大，虚中有实，实中有虚，或藏或露，或浅或深，这就不单是"周回曲折"四个字所能涵盖的了。其好坏也不在地广石多，这样徒费人力物力。挖地堆成土山，放上一些石块，种上花草，用梅树编成篱笆，墙上爬满藤蔓，这样就可以无山而有山了。大中见小的方法：在开阔的地方种上容易生长的竹子，用茂盛的梅树作屏障。小中见大的方法：窄小院子的墙壁应建得凹凸不平，用绿色装饰，种上藤蔓，再嵌块大石，凿字做碑。这样推开窗子，如临石壁，会觉得峻峭无穷。虚中有实的方法：或是在山穷水尽处，一转弯就觉得豁然开朗。或是在轩阁设厨的地方，一开门便可通往别院；实中有虚的方法：在不通他处的院子里开一个门，种些竹子，放上石头，看起来是通往别处实际上却没有。或者在墙头上设置低栏杆，好像上面有一个月台但实际上是虚的。穷寒之士屋少人多，应当效仿我家乡太平船后舱的布置，再添些变化。把台级当床，前后借凑，可以作三张床用，中间隔以木板，糊上白纸，这样前后上下都隔开了，就像走长路，却不觉得狭窄。我夫妻两个客居扬州的时候，曾效仿过这个办法，房屋虽只有两间，但卧室、厨房、客厅都能隔开且感到比较宽敞。芸曾笑道："这样布置虽然也够精巧的，但终归不是富贵人家的气象。"真是这样的吗？

余扫墓山中，检有峦纹[1]可观之石，归与芸商曰："用油灰叠宣州石于白石盆，取色匀也。本山黄石虽古朴，亦用油灰，则黄白相间，凿痕毕露，将奈何？"芸曰："择石之顽劣者，捣末于灰痕处，乘湿掺之，干或色同也。"乃如其言，用宜兴窑长方盆叠起一峰，偏于左而凸于右，背作横方纹，如云林[2]石法，巉岩[3]凹凸，若临江石矶状；虚一角，用河泥种千瓣白萍[4]；石上植茑萝[5]，俗呼云松。经营数日乃成。至深秋，茑萝蔓延满山，如藤萝之悬石壁，花开正红色，白萍亦透水大放，红白相间。神游其中，如登蓬岛。置之檐下，与芸品题：此处宜设水阁，此处宜立茅亭，此处宜凿六字曰"落花流水之间"，此可以居，此可以钓，此可以眺。胸中丘壑，若将移居者然。一夕，猫奴争食，自檐而堕，连盆与架，顷刻碎之。余叹曰："即此小经营，尚干造物忌耶？"两人不禁泪落。

[注释]

① 峦纹：带有山形的纹理。

② 云林：倪瓒（1302～1375），号云林，无锡人。元代画家，善画石。

③ 巉（chán）岩：险峻的山石。

④白萍：一种水生植物，常见于池沼间，花白色。

⑤茑萝：又名"羽叶茑萝"，一年生草本植物，花红色，呈五角形。

[译文]

　　我在山中扫墓时，曾捡到一些纹理不错的石头。回家和芸商量道："在白石盆里用油灰来叠宣州石，取其色彩匀称。本地山里的这些黄石虽看起来古朴，也用油灰来叠的话，则黄白相间，雕琢的痕迹明显，该怎么办呢？"芸说："选几块粗劣的石头，捣成粉末，撒在油灰上，趁着湿渗透在一起，干了之后颜色就一样了。"我照着她的话来做，在宜兴窑出的长方盆里叠起一座山峰，左偏右突，背面有横方的纹理，像云林画石一样，山石险峻，高低不平，如同临江的石矶。空出一角，用河泥种上千瓣白萍。石上栽些茑萝，俗称云松。花费了数日工夫才算完成。到深秋的时候，茑萝蔓延全山，如藤萝悬挂在石壁上，开出红色的花朵，白萍也在水中绽放，红白相间。神游其中，如同登上蓬莱仙岛。把盆景放在屋檐下，和芸一起品题：这里适合建一座水上楼阁，这里适合盖一处茅亭，这里应当凿六个字"落花流水之间"，这里可以居住，这边可以钓鱼，这里可以远眺。都是想象中的风景，好像我们就要搬进去一样。一天晚上，几只猫争食，从房顶上掉下来，连盆带架，顷刻间破碎。我感叹道："就是这点小玩意儿，还被老天嫉妒吗？"想到此处，我们两人不禁落泪。

　　静室焚香，闲中雅趣。芸尝以沉速等香①，于饭镬②蒸透，在炉上设一铜丝架，离火半寸许，徐徐烘之，其香幽韵而无烟。佛手忌醉鼻嗅，嗅则易烂；木瓜忌出汗，汗出，用水洗之。惟香橼③无忌。佛手、木瓜亦有供法，不能笔宣④。每有人将供妥者随手取嗅，随手置之，即不知供法者也。

[注释]

①沉速香：檀香。

②镬（huò）：锅。

③香橼：一种常绿乔木，花白色。果实有香气，味酸、甜。

④笔宣：不能用文字表达，这里指不再一一介绍。

[译文]

在静室里焚香，这是闲暇中的雅趣。芸曾把沉速香等放在锅里蒸透，在炉子上放一个铜丝架，离火半寸左右，慢慢烘烤，其香幽韵而没有烟。佛手忌讳酒后用鼻子闻，闻了就容易烂；木瓜则忌出汗，有汗了要用水冲洗。只有香橼没什么忌讳。佛手、木瓜也有供法，这里不能一一用笔墨写出来。经常有人把已设供的东西随手拿来闻，又随手放置，这些都是不懂供法的人。

余闲居，案头瓶花不绝。芸曰："子之插花，能备风晴雨露，可谓精妙入神。而画中有草虫一法，盍仿而效之？"余曰："虫踯躅①不受制，焉能仿效？"芸曰："有一法，恐作俑②罪过耳。"余曰："试言之。"曰："虫死色不变，觅螳螂、蝉、蝶之属，以针刺死，用细丝扣虫项，系花草间，整其足，或抱梗，或踏叶，宛然如生，不亦善乎？"余喜，如其法行之，见者无不称绝。求之闺中，今恐未必有此会心者矣。

[注释]

①踯躅：爬动。

②作俑：比喻恶劣风气的创始者。

[译文]

我闲居的时候，案头瓶子里的花不断更新。芸说："你的插花能体现风晴雨露，可谓精妙入神。绘画中有草虫一法，你为什么不仿效一下？"我说："虫子爬动不听使唤，哪能仿效呢？"芸说：

"我有一个办法,只是怕成为始作俑者有罪过。"我说:"你试着说说看。"芸说:"虫子死后颜色不变,你找些螳螂、蝉、蝶这类虫子,用针把它们刺死,用细丝系在其脖子上,把它们绑在花草间,调整它们的腿,或者抱着树梗,或者站在草叶上,宛然如生,这不也挺好吗?"我听后很高兴,就按照她说的办法去做,见到的人无不称绝。在闺阁中寻找,如今恐怕未必再有这么会心的人了。

余与芸寄居锡山①华氏,时华夫人以两女从芸识字。乡居院旷,夏日逼人,芸教其家作活花屏法甚妙。每屏一扇,用木梢二枝,约长四、五寸,作矮条凳式,虚其中,横四档,宽一尺许,四角凿圆眼,插竹编方眼,屏约高六、七尺,用砂盆种扁豆置屏中,盘延屏上,两人可移动。多编数屏,随意遮拦,恍如绿阴满窗,透风蔽日,纡回曲折,随时可更,故曰活花屏。有此一法,即一切藤本香草随地可用。此真乡居之良法也。

[注释]

①锡山:在今江苏无锡西。

[译文]

我和芸寄居在锡山华氏家里,当时华夫人让两个女儿跟着芸学认字。在乡间居住,院落空旷,夏日炎热逼人,芸教华氏家人做活花屏风的方法很巧妙:每扇屏风用木梢两枝,长约四五寸,做成矮脚凳的样式,中间是空的,横四根木档,宽一尺左右,四角凿上圆洞,插上竹编方眼。屏风高约六七尺,用砂盆种些扁豆,放在屏风中,让它往屏风上攀爬,两个人就可移动。多编几个屏风,随意遮拦,好像绿荫满窗,透风遮日,迂回曲折,随时可以更换,所以叫作活花屏风。有了这种方法,一切藤本香草都可随地采用,这真是乡居的好办法。

friends人鲁半舫名璋，字春山，善写松柏或梅菊，工隶书，兼工铁笔①。余寄居其家之萧爽楼，一年有半。楼共五椽，东向，余居其三，晦明风雨，可以远眺。庭中木犀②一株，清香撩人。有廊有厢，地极幽静。移居时，有一仆一妪，并挈其小女来。仆能成衣③，妪能纺绩，于是，芸绣妪绩，仆则成衣，以供薪水。余素爱客，小酌必行令。芸善不费之烹庖，瓜蔬鱼虾，一经芸手，便有意外味。同人知余贫，每出杖头钱④，作竟日⑤叙。余又好洁，地无纤尘，且无拘束，不嫌放纵。时有杨补凡⑥，名昌绪，善人物写真；袁少迂，名沛，工山水；王星澜⑦，名岩，工花卉翎毛，爱萧爽楼幽雅，皆携画具来。余则从之学画，写草篆，镌图章，加以润笔，交芸备茶酒供客，终日品诗论画而已。更有夏淡安、揖山两昆季⑧，并缪山音、知白两昆季，及蒋韵香、陆橘香、周啸霞、郭小愚、华杏帆、张闲酣诸君子，如梁上之燕，自去自来。芸则拔钗沽酒⑨，不动声色，良辰美景，不放轻过。今则天各一方，风流云散，兼之玉碎香埋，不堪回首矣。

[注释]

①铁笔：刻印。镌刻印章，以刀代笔，故名。

②木犀：即桂树，常绿乔木，花白色，芳香宜人。

③成衣：做衣服。

④杖头钱：买酒钱。典出《世说新语·任诞》："阮宣子常步行，以百钱挂杖头，至酒店，便独酣畅，虽当世贵盛不肯诣也。"

⑤竟日：从早到晚，整天。

⑥杨补凡：即杨昌绪，字补凡，苏州人。《扬州画苑录》卷四说他："善山水，兼长仕女、花卉。"《历代画史汇传》卷二十四评价他："山水于浑厚中而仍遇秀逸，每入诗意，仕女仿六如，雅韵有致。"

⑦王星澜：即王岩，字星澜，苏州人。《历代画史汇传》卷二十九评价他："钩染花卉工致。"

⑧昆季：兄弟。
⑨拔钗沽酒：把金钗卖掉为丈夫买酒。典出唐元稹《遣悲怀》诗。

[译文]

　　我的朋友鲁半舫，名璋，字春山，善于画松柏或梅菊，长于隶书，兼工篆刻。我寄居在他家的萧爽楼里曾有一年半之久，这座楼共五间，朝东，我住了其中三间。早晚风雨，都可远眺。庭院中有棵木犀树，清香撩人。这里有走廊有厢房，十分幽静。移居的时候，有一个仆人和一个老妇人，还带着他们的小女儿过来。仆人能做衣服，老妇人能纺织，于是，芸刺绣，老妇人纺织，仆人则做衣服，以供日常开支。我素来好客，即使小酌也必行酒令。芸擅长花费不多的烹调，瓜果蔬菜及鱼虾一经她的手，便有了特殊的风味。朋友们知道我不富裕，经常给我们钱买酒，大家终日畅谈。我喜欢整洁，居室地上没有灰尘，且不受拘束，不嫌放纵。当时有杨补凡，名昌绪，善于人物写真；袁少迂，名沛，善于画山水；王星澜，名岩，善于画花鸟。他们喜欢萧爽楼的幽雅，都带着画具过来，我则跟着他们学绘画。写草篆，刻印章，所得的润笔费，交给芸准备茶水酒菜，招待客人，大家整天品诗论画而已。更有夏淡安、夏揖山两兄弟和缪山音、缪知白两兄弟，以及蒋韵香、陆橘香、周啸霞、郭小愚、华杏帆、张闲酣诸君子，如同梁上的飞燕一样自来自去。芸则拔钗沽酒，不露声色，良辰美景，不轻易放过。如今大家则天各一方，风流云散，加上玉碎香埋，真是不堪回首啊。

　　萧爽楼有四忌：谈官宦升迁、公廨①时事、八股时文、看牌掷色。有犯必罚酒五斤。有四取：慷慨豪爽、风流蕴藉、落拓不羁、澄静缄默。长夏无事，考对为会，每会八人，每人各携青蚨②二百。先拈阄，得第一者为主考，关防③别座。第二者为誊录，亦就座，余作举子，各于誊录处取纸一条，盖用印章。主考出五、七言各一句，刻香为限，行立构思，不准交头私语。对就后，投入一匣，方许就座。各人交卷毕，誊录启匣，并录一册，转呈主考，以杜徇私。十六对中，取七言三联，五言三联。六联中取第一者，即为后任主考，第二者为誊录。每人有两联不取者，罚钱二十文；取一联者，免罚十文；过限者，倍罚。一场，主考得香钱百文。一日可十场，积钱千文，酒资大畅矣。惟芸议为官卷④，准坐而构思。

[注释]

①公廨（xiè）：官署，官衙。

②青蚨（fú）：铜钱。

③关防：监视，防范。

④官卷：清代科考，高官子弟参加乡试，另外编号，以人数多寡，定额取录。因其试卷均编"官"字号，故名官卷。这里指陈芸参加考对可以享受特殊待遇。

[译文]

萧爽楼有四忌：忌谈官职升迁，忌谈官府时事，忌谈八股时文，忌看牌掷色。有违犯者一定要罚酒五斤。有四取：取慷慨豪爽，取风流潇洒，取落拓不羁，取澄静缄默。长夏闲暇无事，大家以考试对句为会。每会八个人，每人各带二百铜钱。先抓阄，得第一的人为主考，坐在旁边监考；得第二者负责誊录，也就座。其余的人都当举子，各自到誊录处拿一张纸，盖上印章。主考人出五言、七言各一句，燃香计时，大家可以走着或站着构思，但不准交头接耳。对句写完后，投到一个匣子里，方可就座。各人交卷之后，誊录者打开匣子，将各人所写对句抄成一卷，转呈主考，以杜绝徇私行为。从十六个对句中取中七言句三联，五言句三联。六联中得第一的，即为下一任的主考，第二名下一任负责誊录。每人如有两联都没被取中者，罚钱二十文；仅取中一联者少罚十文钱；超过时间的则加倍处罚。这样一场下来，主考可得一百多文钱。一天可以考十场，积攒上千文钱，酒钱就非常充足了。只有芸例外，大家推举为官卷，准许她坐下来构思。

杨补凡为余夫妇写载花小影，神情确肖。是夜，月色颇佳，兰影上粉墙，别有幽致。星澜醉后兴发曰："补凡能为君写真，我能为花图影。"余笑曰："花影能如人影否？"星澜取素纸①铺于墙，即就兰影，用墨浓淡图之。日间取视，虽不成画，而花叶萧疏，自有月下之趣。芸甚宝之，各有题咏。

[注释]

①素纸：白纸。

[译文]

杨补凡曾给我们夫妇画了一幅载花小影，神情逼真。那天夜里月色很好，兰花的影子映在粉墙上，别有幽致。王星澜醉后雅兴萌发，说道："杨补凡能给你们写真，我能给你们画花影图。"我笑着说："花影能像人影吗？"王星澜把白纸铺在墙上，对着兰花的影子，用墨或浓或淡，画了起来。到白天拿出来看，虽然不成画，但花叶萧疏，自有月下之趣。芸很珍爱这幅画，大家在上面各有题咏。

苏城有南园、北园①二处，菜花黄时，苦无酒家小饮。携盒而往，对花冷饮，殊无意味。或议就近觅饮者，或议看花归饮者，终不如对花热饮为快。众议未定。芸笑曰："明日但各出杖头钱，我自担炉火来。"众笑曰："诺。"众去，余问曰："卿果自往乎？"芸曰："非也，妾见市中卖馄饨者，其担、锅、灶无不备，盍雇之而往？妾先烹调端整，到彼处再一下锅，茶酒两便。"余曰:"酒菜固便矣,茶乏烹具。"芸曰:"携一砂罐去,以铁叉串罐柄,去其锅,悬于行灶中,加柴火煎茶,不亦便乎?"余鼓掌称善。

[注释]

①南园、北园:北园位置约在今苏州拙政园东、东北街北,南园位置约在今苏州人民路工人文化宫东、十全街南。

[译文]

苏州城有南园、北园两个地方,油菜花盛开的时候,苦于当地没有酒家可以饮酒,大家只好带着食盒过去,但对着花喝冷酒,很没有意思。有人提议就近寻找饮酒的地方,有人建议看花后回来饮酒,但这终究不如对着花趁热饮酒畅快。大家商议不定。芸笑着说:"明天各位只管掏买酒钱,我自己挑着炉火过来。"大家笑着说:"好的。"众人走后,我问道:"你真的要亲自挑去吗?"芸说:"不是的,我看到市面上有卖馄饨的,其担子、锅、灶,无不齐备,为什么不雇他们去呢?我先在家里把菜做好,到那里一下锅就行了,喝茶、饮酒,都很方便。"我说:"酒菜固然方便,煮茶却缺少器具。"芸说:"带一个砂罐过去,用铁叉串在砂罐柄上,拿去锅后,把它挂在炉灶上,加上柴火煎茶,不也是很方便吗?"我鼓掌叫好。

街头有鲍姓者,卖馄饨为业,以百钱雇其担,约以明日午后,鲍欣然允议。明日看花者至,余告以故,众咸叹服。饭后同往,并带席垫,至南园,择柳阴下团坐。先烹茗,饮毕,然后暖酒烹肴。是时风和日丽,遍地黄金,青衫红袖,越阡度陌,蝶蜂乱飞,令人不饮自醉。既而酒肴俱熟,坐地大嚼,担者颇不俗,拉与同饮。游人见之,莫不羡为奇想。杯盘狼藉,各已陶然①,或坐或卧,或歌或啸。红日将颓,余思粥,担者即为买米煮之,果腹②而归。芸问曰:"今日之游乐乎?"众曰:"非夫人之力不及此。"大笑而散。

[注释]

①陶然:陶醉、愉快的样子。

②果腹:吃饱。

[译文]

街上有个姓鲍的人,以卖馄饨为业,就用一百文钱来雇他的馄饨担子,约在第二天午后,姓鲍的欣然答应。第二天,看花的人都到了,我告诉他们其中的缘由,大家都很叹服。饭后一起过去,并且带上席垫,来到南园,选一处柳荫下团团围坐。先烹茶,喝完之后,再暖酒做菜。当时风和日丽,遍地金黄,青衫红袖,穿行在田间小路上,蜂蝶乱飞,让人不饮自醉。不久,酒菜都准备好了,大家坐在地上大吃起来。姓鲍的人也颇不俗,拉他过来一起饮酒。游人看到后,无不羡慕这个奇思妙想。到杯盘狼藉的时候,大家都已陶醉,有的坐,有的卧,有的歌,有的啸。红日快要落山时,我又想吃粥,姓鲍的就去买米来煮,大家吃饱了才回去。芸问道:"今日的游玩快乐吗?"众人说:"没有夫人的帮助,今天就不会玩得这么开心。"众人大笑着散开了。

贫士起居服食以及器皿、房舍,宜省俭而雅洁,省俭之法曰"就事论事"。余爱小饮,不喜多菜,芸为置一梅花盒:用二寸白磁深碟六只,中置一只,外置五只,用灰漆就,其形如梅花,底盖均起凹楞,盖之上有柄如花蒂。置之案头,如一朵墨梅覆桌。启盖视之,如菜装于花瓣中,一盒六色,二、三知己可以随意取食,食完再添。另做矮边圆盘一只,以便放杯箸酒壶之类,随处可摆,移掇①亦便。即食物省俭之一端也。余之小帽领袜,皆芸自做,衣之破者,移东补西,必整必洁,色取暗淡,以免垢迹，既可出客②，又可家常。此又服饰省俭之一端也。

[注释]

①移掇：移动，收拾。

②出客：到外面做客。

[译文]

贫寒之士的起居、衣食，以及器皿、房舍等，都应当省俭而雅洁，省俭的方法叫"就事论事"。我爱喝点小酒，不喜欢吃很多菜。芸就为我置备了一个梅花盒：二寸大小的白瓷深碟六个，中间放一个，外面摆五个。用油漆漆好，外形像梅花。底盖都起凹棱，盖子上有个把手，形如花蒂。放在案头，如同一朵梅花盖在上面。打开来看，好像菜肴放在花瓣中，一个盒子六种颜色，二三知己可以随意吃，吃完再添。另外再做一个矮边圆盘，以便放置杯、筷、酒壶等，随处可以摆放，移动收拾起来也挺方便，这是食物省俭的一个办法。我的小帽领袜，都是芸亲手做的。衣服破了，移东补西，一定要齐整、干净。颜色选用暗色的，以免露出污垢的痕迹。这样既可出门做客，又可居家常穿，这又是服饰省俭的一个办法。

初至萧爽楼中，嫌其暗，以白纸糊壁，遂亮。夏月，楼下去窗，无阑干，觉空洞无遮拦。芸曰："有旧竹帘在，何不以帘代栏？"余曰："如何？"芸曰："用竹数根，黝黑色，一竖一横，留出走路，截半帘搭在横竹上，垂至地，高与桌齐，中竖短竹四根，用麻线扎定，然后于横竹搭帘处，寻旧黑布条，连横竹裹缝之。既可遮拦饰观，又不费钱。"此"就事论事"之一法也。以此推之，古人所谓竹头、木屑皆有用，良有以也。

[译文]

刚到萧爽楼的时候，我嫌光线暗，就用白纸糊墙，房间这才亮堂起来。到了夏天，楼下撤去窗户，没有栏杆，觉得空洞没有遮拦。芸说:"有旧的竹帘子,为什么不用它来替代栏杆呢?"我问:"怎么个替代法呢?"芸说:"找几根竹子,要黑色的,一竖一横,留出走路的空间。截一半竹帘子搭在横竹上,垂到下面,高度与桌面相同。中间竖上四根短竹,用麻线扎紧固定。然后在横竹挂竹帘子的地方,找些旧的黑布条,连横竹一起裹起来缝上,这样既可遮拦做装饰,又不费钱。"这也是"就事论事"的一个方法。由此推之,古人所说的竹头、木屑都有用处,确实有其道理。

夏月,荷花初开时,晚含而晓放。芸用小纱囊撮茶叶少许,置花心,明早取出,烹天泉水①泡之,香韵尤绝。

[注释]

①天泉水:雨水。

[译文]

夏天荷花初开的时候,晚间含苞,早上开放。芸就用小纱袋包上一些茶叶,放到花心里。第二天早上再取出,烹煮雨水来沏泡,其清香韵味尤为绝妙。

第三卷　坎坷记愁

人生坎坷，何为乎来哉？往往皆自作孽耳。余则非也，多情重诺，爽直不羁，转因之为累。况吾父稼夫公慷慨豪侠，急人之难，成人之事，嫁人之女，抚人之儿，指不胜屈，挥金如土，多为他人。余夫妇居家，偶有需用，不免典质①。始则移东补西，继则左支右绌②。谚云："处家人情，非钱不行。"先起小人之议，渐招同室③之讥。"女子无才便是德"，真千古至言也。

[注释]

①典质：典押，抵押。

②绌（chù）：不足，不够。

③同室：一家人。

[译文]

人生的坎坷到底是怎么来的呢？通常都是自己作孽罢了，但我的情况却不是这样。我讲情谊，重然诺，性格直爽，不拘小节，却因此而受累。何况我父亲稼夫公慷慨豪侠，急人之难，成人之事，嫁人之女，抚人之儿，这样的事情数不胜数，挥金如土，多是为了他人。我夫妇居家，偶有需要花钱的地方，不免要典押物品。起初移东补西，继而左支右绌。俗话说："处家人情，非钱不行。"先是有小人的非议，渐渐遭到一家人的嘲讽。"女子无才便是德"，这句话真是千古名言啊。

余虽居长而行三,故上下呼芸为"三娘"。后忽呼为"三太太",始而戏呼,继成习惯,甚至尊卑长幼,皆以"三太太"呼之,此家庭之变机欤?

[译文]

我虽是长子但排行第三,所以家里人都称芸为"三娘",后来忽然改称她为"三太太"。起初只是玩笑似的称呼,继而成了习惯,甚至不管尊卑长幼,都以"三太太"来称呼她。这难道是家庭发生变故的先兆吗?

乾隆乙巳①,随侍吾父于海宁②官舍。芸于吾家书中附寄小函,吾父曰:"媳妇既能笔墨,汝母家信,付彼司之。"后家庭偶有闲言,吾母疑其述事不当,仍不令代笔。吾父见信非芸手笔,询余曰:"汝妇病耶?"余即作札问之,亦不答。久之,吾父怒曰:"想汝妇不屑代笔耳。"迨③余归,探知委曲,欲为婉剖④,芸急止之曰:"宁受责于翁,勿失欢于姑也。"竟不自白。

[注释]

①乾隆乙巳:1785年。

②海宁:今浙江海宁市。

③迨(dài):等到。

④剖:分辩,辩解。

[译文]

乾隆乙巳年,我跟随父亲到海宁官舍。芸在家书中附上她写的信。我父亲说:"你媳妇既然能写信,你母亲的家信就让她来代笔吧。"后来家里偶尔传出一些闲言,我母亲怀疑芸讲述事情不妥当,就不再让她代笔。我父亲看到家信不是芸的笔迹,就问我说:"你媳妇生病了吗?"我便写信询问,也不见芸的回复。日子长了,我父亲就生气地说:"想必是你媳妇不屑于代笔吧。"等我回家之后,弄清了其中的原委,想替芸申辩,芸急忙制止我说:"我宁可受公公的责备,也不愿让婆婆不高兴。"始终不为自己剖白。

庚戌①之春,予又随侍吾父于邗江②幕中,有同事俞孚亭者,挈眷居焉。吾父谓孚亭曰:"一生辛苦,常在客中,欲觅一起居服役之人而不可得。儿辈果能仰体亲意,当于家乡觅一人来,庶语音相合。"孚亭转述于余,密札致芸,倩媒物色,得姚氏女。芸以成否未定,未即禀知吾母。其来也,托言邻女之嬉游③者,及吾父命余接取至署,芸又听旁人意见,托言吾父素所合意者。吾母见之曰:"此邻女之嬉游者也,何娶之乎?"芸遂并失爱于姑矣。

[注释]
①庚戌:1790年。
②邗江:今江苏扬州市邗江区。
③嬉游:游乐,游玩。

[译文]
庚戌年的春天,我又跟随父亲到邗江游幕。有个同事叫俞孚亭,带着家眷住在这里。我父亲对俞孚亭说:"一生辛苦,常年客居他乡,想找一个照料生活起居的人都没有找到。孩子们如果真能体谅长辈的意愿,应当在家乡找一个人来,这样在语言上也相合。"俞孚亭将此事转告我,我就暗中给芸写信,让她请媒人物色,找到了一个姓姚的女子。芸因事情能否成功还未确定,就没有马上禀告我母亲。当姓姚的女子过来的时候,便假说是邻居家的女孩过来游玩。等到我父亲命我将其接到官署,芸又听信旁人的意见,假说这是我父亲向来中意的人。我母亲看到之后说:"这个邻居家的女孩

是过来游玩的,为什么要娶她?"这样,芸连婆婆的欢心也失去了。

壬子①春,余馆真州②。吾父病于邗江,余往省,亦病焉。余弟启堂时亦随侍。芸来书曰:"启堂弟曾向邻妇借贷,倩芸作保,现追索甚急。"余询启堂,启堂转以嫂氏为多事,余遂批纸尾曰:"父子皆病,无钱可偿,俟启弟归时,自行打算可也。"

[注释]

①壬子:1792年。

②真州:在今江苏仪征。

[译文]

壬子年春天,我到真州处馆。我父亲在邗江生病,我过去探望,结果自己也病了。我弟弟启堂当时也在那里服侍父亲。芸来信说:"启堂弟曾向邻居家的妇女借贷,请我做保人,现在人家要债很急。"我问启堂是怎么回事,启堂反过来认为是嫂子多事。我随即在信后写道:"我们父子都在生病,无钱偿还,等到启堂弟回去时,让他自己想办法就可以了。"

未几,病皆愈,余仍往真州。芸覆书来,吾父拆视之,中述启弟邻项事,且云:"令堂以老人之病皆由姚姬而起,翁病稍痊,宜密嘱姚托言思家,妾当令其家父母到扬接取。实彼此卸责之计也。"吾父见书怒甚,询启堂以邻项事,答言不知,遂札饬①余曰:"汝妇背夫借债,谗谤小叔,且称姑曰令堂,翁曰老人,悖谬②之甚。我已专人持札,回苏斥逐,汝若稍有人心,亦当知过。"

[注释]

①饬(chì):训斥,告诫。

②悖谬:荒谬,荒唐。

[译文]

不久,我和父亲的病都好了,我仍回到真州。芸写信过来,因我不在,我父亲拆开来看,其中说到启堂弟向邻家妇女借贷的事情,并且说:"令堂认为老人的病都是由姓姚的女子引起的,老人病好之后,应悄悄吩咐姓姚的女子,让她借口想家,我再让她父母到扬州来接其回家。这是彼此卸去责任的好办法。"我父亲看了信后非常生气,问启堂弟向邻家妇女借债的事,他却推说不知道。父亲随即写信训斥我说:"你媳妇背着丈夫借债,诽谤小叔,况且在信里称婆婆为令堂,称公公为老人,非常荒谬。我已专门派人带信回苏州,把她撵出去。你若是稍有人心,也应当知道自己的过错。"

余接此札,如闻青天霹雳,即肃书认罪,觅骑遄①归,恐芸之短见也。到家述其本末,而家人乃持逐书至,历斥多过,言甚决绝。芸泣曰:"妾固不合妄言,但阿翁当恕妇女无知耳。"越数日,吾父又有手谕至,曰:"我不为已甚,汝携妇别居,勿使我见,免我生气足矣。"乃寄芸于外家,而芸以母亡弟出,不愿往依族中,幸友人鲁半舫闻而怜之,招余夫妇往居其家萧爽楼。

[注释]

①遄:快,迅速。

[译文]

我接到这封信后,好像听到青天霹雳,马上向父亲写信认罪,随后找了匹马,急忙返回,担心芸会寻短见。到家刚说完事情的经过,家人也拿着父亲的信过来了,信中历数芸的过失,言辞很是决绝。芸哭着说:"我固然不该乱说,但公公也应当宽恕女人的无知。"过了几天,父亲又有信来,上面写道:"我不会做得太过,你带着媳妇到别的地方去住,不要让我看见,免得我生气也就行了。"于是我准备让芸寄居在娘家,但芸因母亲去世、弟弟在外,不愿依附家族里的其他人。幸亏朋友鲁半舫听到消息后同情我们,让我们夫妻去住在他家的萧爽楼中。

越两载,吾父渐知始末,适余自岭南归,吾父自至萧爽楼谓芸曰:"前事我已尽知,汝盍归乎?"余夫妇欣然,仍归故宅,骨肉重圆。岂料又有憨园之孽障耶。

[译文]

过了两年,我父亲渐渐知道了事情的经过。当时正赶上我从岭南回来,我父亲亲自来到萧爽楼,对芸说:"以前的事情我都已知晓,你为什么不搬回去住?"我们夫妻欣然答应,仍回到故宅,一家人骨肉团圆。岂料不久又有了憨园这个孽障。

芸素有血疾①,以其弟克昌出亡不返,母金氏复念子病没,悲伤过甚所致。自识憨园,年余未发,余方幸其得良药。而憨为有力者夺去,以千金作聘,且许养其母,佳人已属沙吒利②矣。余知之而未敢言也,及芸往探,始知之,归而呜咽,谓余曰:"初不料憨之薄情乃尔也。"余曰:"卿自情痴耳,此中人何情之有哉?况锦衣玉食者,未必能安于荆钗布裙也,与其后悔,莫若无成。"因抚慰之再三。而芸终以受愚为恨,血疾大发,床席支离③,刀圭④无效,时发时止,骨瘦形销。不数年而逋负⑤日增,物议⑥日起,老亲又以盟妓一端,憎恶日甚,余则调停中立,已非生人⑦之境矣。

[注释]

①血疾:具有便血、吐血、咳血等出血症状的疾病。

②沙吒利:唐许尧佐小说《柳氏传》中的人物,系蕃将,曾抢夺书生韩翃情人柳氏。

③支离:凌乱,散乱。

④刀圭：药物。

⑤逋负：欠债，外债。

⑥物议：非议。

⑦生人：让人生存、存活。

[译文]

芸平日患有血疾，这是因为她弟弟克昌外出不归，母亲金氏又思念儿子而病故，由此悲伤过度引起的。自从认识憨园之后，有一年多未发病，我正庆幸她得到良药，憨园却被有权势的人夺走了。人家以千金为聘礼，且许诺赡养她的母亲，这样佳人就属于沙吒利那样的人了。我知道了这件事但没敢说，芸等到去探望时才知晓，她回来哭着对我说："真没想到憨园竟然如此薄情。"我答道："这是你自己痴情，像她们这种人哪有什么感情？何况锦衣玉食之人，未必能甘心荆钗布裙。与其将来后悔，还不如事情没成。"于是我再三抚慰她，但芸始终为自己受到愚弄而愤恨，结果血疾又发作起来。床上凌乱不堪，服药也没有什么效果。疾病时发时停，芸骨瘦体弱。没过几年，外债与日俱增，外人的非议也一天天多了起来，父母又因她和娼妓结拜这件事更加厌恶她。我则从中调停，但这些都已让人无法再活下去了。

芸生一女名青君，时年十四，颇知书，且极贤能，质钗典服，幸赖辛劳。子名逢森，时年十二，从师读书。余连年无馆，设一书画铺于家门之内，三日所进，不敷一日所出，焦劳困苦，竭蹶①时形。隆冬无裘，挺身而过，青君亦衣单股栗②，犹强曰"不寒"。因是芸誓不医药。偶能起床，适余有友人周春煦自福郡王幕中归，倩人绣《心经》③一部，芸念绣经可以消灾降福，且利其绣价之丰，竟绣焉。而春煦行色匆匆，不能久待，十日告成。弱者骤劳，致增腰酸头晕之疾。岂知命薄者，佛亦不能发慈悲也。

[注释]

①竭蹶（jié jué）：枯竭，匮乏。

②股栗：两腿发抖。

③《心经》：佛经，全名为《般若波罗蜜多心经》。

[译文]

芸生有一个女儿叫青君，当时年龄十四岁，知书达理，而且非常贤惠有能力，家里变卖银钗、典当衣物这些事情，都靠她出力。有一个儿子叫逢森，当时年龄十二岁，正在跟着老师读书。我连年没有坐馆，就在家里开了一个书画铺。但三天的进账还赶不上一天的支出，焦劳困苦，经常陷于困顿状态。隆冬时节没有皮衣，只得挺着身子度过。青君也因衣服单薄而浑身发抖，她还硬说不冷。因为这个缘故，芸发誓不再看病买药。这时，她已偶尔能起床走动，正好我有一个叫周春煦的朋友从福郡王那里游幕回来，请人绣一部《心经》。芸考虑到绣《心经》可以消灾降福，而且觉得刺绣的工钱很高，就绣了起来。但周春煦行色匆匆，不能久等，芸仅用十天时间赶成。身体虚弱之人骤然辛劳，结果又增加了腰酸头晕的毛病。岂知薄命之人，就是佛也不能发慈悲啊。

绣经之后，芸病转增，唤水索汤，上下厌之。有西人赁屋于余画铺之左，放利债为业，时倩余作画，因识之。友人某向渠借五十金，乞余作保，余以情有难却，允焉，而某竟挟资远遁。西人惟保是问，时来饶舌，初以笔墨为抵，渐至无物可偿。岁底，吾父家居，西人索债，咆哮于门。吾父闻之，召余诃责曰："我辈衣冠之家，何得负此小人之债？"正剖诉间，适芸有自幼同盟姊适锡山华氏，知其病，遣人问讯。堂上误以为憨园之使，因愈怒曰："汝妇不守闺训，结盟娼妓；汝亦不思习上，滥伍小人。

若置汝死地，情有不忍，姑宽三日限，速自为计，迟必首汝逆矣。"①

[注释]

①首逆：向官府告发、举报。

[译文]

绣经之后，芸的病情加重，唤水要汤，弄得家里其他人都讨厌她。这时，有个西边来的人在我画铺左边赁房子，以放贷为业。他经常请我作画，大家由此认识。我的一个朋友向他借了五十两银子，请我做保人，我因情面上难以拒绝，就答应了，不料这个朋友竟然带着钱逃到远方躲避起来。西人就找我这个保人要债，经常来饶舌。我起初以书画做抵押，渐渐地没有东西偿还。到年末的时候，我父亲在家居住，西人讨债，在门口咆哮，我父亲听到后，把我叫过去训斥道："我们是衣冠之家，怎么会欠这种小人的债？"我正在申辩，恰好芸有个从小结拜的姐妹嫁给锡山华氏，她得知芸生病，就派人来探望消息。我父亲以为是憨园派来的人，因而更加生气，说道："你媳妇不守闺训，和娼妓结拜。你也不思上进，与小人混在一起。若是将你置于死地，我于情又不忍心。姑且宽限你三天时间，你赶快自己想办法解决，过了时限，我一定告你不孝之罪。"

芸闻而泣曰："亲怒如此，皆我罪孽。妾死君行，君必不忍；妾留君去，君必不舍。姑密唤华家人来，我强起问之。"因令青君扶至房外，呼华使问曰："汝主母特遣来耶？抑便道来耶？"曰："主母久闻夫人卧病，本欲亲来探望，因从未登门，不敢造次，临行嘱咐：'倘夫人不嫌乡居简亵①，不妨到乡调养，践幼时灯下之言。'"盖芸与同绣日，曾有疾病相扶之誓也。因嘱之曰："烦汝速归，禀知主母，于两日后放舟密来。"

[注释]

①简亵：怠慢，轻慢。

[译文]

芸听到消息后哭道："父亲如此生气，都是我的罪孽。让我死在这里，你离开，你必然不忍心；把我留下，你离开，你必定舍不得。姑且悄悄把华家的人喊来，我强打精神起来问他。"于是让女儿青君把她扶到室外，把华家派来的人喊来问道："你是主母特地派来的，还是顺道过来的？"那位家人答道："我主母早就听说夫人卧病在床，本想亲自来探望，因从未登过门，不敢造次前来。临走前她吩咐我，倘若夫人不嫌乡间简陋怠慢，不妨到乡下来调养，以履行儿时在灯下说过的话。"芸当年和华氏在一起刺绣的时候，两人曾发过如有疾病互相扶持的誓言。芸嘱咐那位家人说："麻烦你赶快回去，禀告你家主母，让她两天后派艘小船悄悄过来。"

其人既退，谓余曰："华家盟姊，情逾骨肉，君若肯至其家，不妨同行。但儿女携之同往既不便，留之累亲又不可，必于两日内安顿之。"

[译文]

那个人走后，芸对我说："华家的结拜姐妹，情逾骨肉，你要是肯到她家去，不妨一起同行。只是带着儿女同去不方便，把他们留下来连累双亲也不行，一定得在两天内把两个孩子安顿好。"

时余有表兄王荩臣一子名韫石，愿得青君为媳妇。芸曰："闻王郎懦弱无能，不过守成之子，而王又无成可守。幸诗礼之家，且又独子，许之可也。"余谓荩臣曰："吾父与君有渭阳之谊①，欲媳青君，谅无不允。但待长而嫁，势所不能。余夫妇往锡山后，君即禀知堂上，先为童媳，何如？"荩臣喜曰："谨如命。"逢森亦托友人夏揖山转荐学贸易。

[注释]

①渭阳之谊：甥舅的情谊。渭阳，舅父的代称。

[译文]

当时我有个表兄叫王荩臣，他的儿子叫韫石，想娶青君为媳妇。芸说："听说王韫石懦弱无能，不过是个守成的孩子，但王家又没有什么家业可守。幸亏他生在诗礼之家，且又是个独生子，把青君许配给他也可以。"我就对王荩臣说："我父亲与你有甥舅情谊，你想娶青君做儿媳妇，估计他不会不答应。只是等女儿长大了再出嫁，现在的形势不允许。我夫妇到锡山之后，你就禀告我父母，先将我女儿作为童养媳，如何？"王荩臣高兴地说："就按照你说的办。"至于逢森，我也托朋友夏揖山推荐他去学做生意。

安顿已定，华舟适至，时庚申之腊廿五日①也。芸曰："孑然②出门，不惟招邻里笑，且西人之项无着，恐亦不放，必于明日五鼓悄然而去。"余曰："卿病中能冒晓寒耶？"芸曰："死生由命，无多虑也。"密禀吾父，亦以为然。

[注释]

①庚申之腊廿五日：1800年1月19日。

②孑然：孤独，孤立。

[译文]

安顿完毕，华家派来的小船恰好也到了，这天是庚申年的腊月二十五日。芸说："我们孤单地离开家，不光招惹邻里笑话，而且那个西人的债还没有着落，恐怕他也不肯放过我们，一定得在明天五更时分悄悄离开。"我问道："你病中能受得了早上的风寒吗？"芸说："死生有命，不要再多虑了。"我悄悄禀告父亲，他也同意这样做。

是夜，先将半肩行李挑下船，令逢森先卧。青君泣于母侧，芸嘱曰："汝母命苦，兼亦情痴，故遭此颠沛，幸汝父待我厚，此去可无他虑。两三年内，必当布置重圆。汝至汝家，须尽妇道，勿似汝母。汝之翁、姑以得汝为幸，必善视汝。所留箱笼什物，尽付汝带去。汝弟年幼，故未令知，临行时托言就医，数日即归，俟我去远，告知其故，禀闻祖父可也。"旁有旧妪，即前卷中曾赁其家消暑者，愿送至乡，故是时陪侍在侧，拭泪不已。

[译文]

当天夜里，先把半担行李挑下船，让逢森先睡。青君坐在她母亲身边哭泣，芸嘱咐道："你母亲命苦，加上痴情，所以才遭受这样的颠沛。幸亏你父亲对我很好，此去没有什么顾虑。两三年内，必定还要想法团圆。你到了王家之后，一定要恪尽妇道，不要像你母亲这样。你公公、婆婆以得到你这样的儿媳妇感到幸运，必然会善待你。我留在箱柜里的东西，都给你带到王家去。你弟弟年幼，所以没让他知道。临走时我就假说外出求医，过些日子就回来。等我走远后，你告诉他实情，再去禀告祖父就可以了。"旁边有个老妇人，就是前卷中所说赁她家房屋消夏避暑的那位老妇人，她愿意送我们到乡下。此时她陪在旁边，不停地擦着眼泪。

将交五鼓，暖粥共啜①之。芸强颜笑曰："昔一粥而聚，今一粥而散，若作传奇，可名《吃粥记》矣。"逢森闻声亦起，呻曰："母何为？"芸曰："将出门就医耳。"逢森曰："起何早？"曰："路远耳。汝与姊相安在家，毋讨祖母嫌。我与汝父同往，数日即归。"鸡声三唱，芸含泪扶妪，启后门将出，逢森忽大哭曰："噫，我母不归矣。"青君恐惊人，急掩其口而慰之。当是时，余两人寸肠已断，不能复作一语，但止以勿哭而已。

[注释]

①啜：喝，饮。

[译文]

将近五更时分，热了些粥大家一起吃。芸强作笑脸说："过去因为一碗粥而欢聚，如今又要以一碗粥而分散，要是写戏的话，可以叫做《吃粥记》了。"逢森听到响动，也起来了，他呻吟着说："母亲要干什么呢？"芸说："准备出门就医。"逢森又问："怎么起得这么早呢？"芸说："因为路途远，你和姐姐安心在家，不要讨祖母的嫌。我和你父亲一起去，过几日就回来。"此时，鸡叫三遍，芸含泪扶着老妇人，准备开后门出去，逢森忽然大哭道："噫，我母亲不回来了。"青君担心惊动别人，急忙捂住他的嘴并安慰他。此时此刻，我们两人寸肠已断，说不出一句话来，只是制止逢森不要哭而已。

青君闭门后，芸出巷十数步，已疲不能行。使妪提灯，余背负之而行。将至舟次，几为逻者①所执，幸老妪认芸为病女，余为婿，且得舟子皆华氏工人，闻声接应，相扶下船。解维后，芸始放声痛哭。是行也，其母子已成永诀矣。

[注释]

①逻者：巡逻的人。

[译文]

青君关上门后，芸刚走出小巷十来步，就已疲惫得走不动了。我叫老妇人提着灯，自己背着芸往前走。快到小船停泊的地方时，差一点被巡逻的人抓住。幸亏老妇人把芸当做生病的女儿，把我当做女婿，而且船上的人都是华家的人，听到声音后过来接应，大家相互扶着上船。解缆开船之后，芸这才放声痛哭。这次出行对他们母子来说，已是生离死别了。

华名大成,居无锡之东高山,面山而居,躬耕为业,人极朴诚。其妻夏氏,即芸之盟姊也。是日午未之交,始抵其家。华夫人已倚门而待,率两小女至舟,相见甚欢,扶芸登岸,款待殷勤。四邻妇人、孺子,哄然入室,将芸环视,有相问讯者,有相怜惜者,交头接耳,满屋啾啾①。芸谓华夫人曰:"今日真如渔父入桃源②矣。"华曰:"妹莫笑,乡人少所见多所怪耳。"自此相安度岁③。

[注释]

①啾啾:嘈杂声。

②渔父入桃源:桃源即桃花源,典出东晋陶渊明《桃花源记》。

③度岁:过年。

[译文]

姓华的主人名叫大成,住在无锡的东高山,面山而居,以务农为业,为人十分朴实坦诚。他的妻子夏氏,就是芸的结拜姐妹。当天午未之交,我们才抵达她家。此时华夫人已靠在门口等候,她带着两个小女儿来到船上,彼此相见甚欢。她们扶着芸登岸,殷勤招待。四邻的妇女、孩子们也都闹哄哄地来到华家,围着芸打量。有互相问候的,有表示同情的,交头接耳,满屋子都是嘈杂声。芸对华夫人说:"今天真像是渔夫来到桃花源了。"华夫人答道:"妹妹不要笑话,乡下人是少见多怪。"自此我们就在这里平安度过了新年。

至元宵,仅隔两旬,而芸渐能起步。是夜观龙灯于打麦场中,神情态度,渐可复元。余乃心安,与之私议曰:"我居此非计,欲他适而短于资,奈何?"芸曰:"妾亦筹之矣。君姊丈范惠来现于靖江盐公堂①司会计,十年前曾借君十金,适数不敷,妾典钗凑之，君忆之耶？"余曰："忘之矣。"芸曰："闻靖江去此不远，君盍一往？"余如其言。

[注释]

①靖江盐公堂：靖江，今江苏靖江市。盐公堂，古代专门管理盐务的机构。

[译文]

到元宵节的时候，才隔了两旬，芸已渐渐能站起来走路。当天夜里在打麦场上看龙灯，看她的神情气色，慢慢可以恢复。我这才放下心，和她私下里商议道："我住在这里并非长久之计，想换个地方又缺少资金，怎么办呢？"芸答道："我也在筹划这件事，你姐夫范惠来现在正在靖江盐公堂做会计，十年前他曾借了你十两银子，当时钱不够，我典当了银钗凑钱，你还记得吗？"我说："已经忘了。"芸说："听说靖江离这里不远，你为什么不去一趟呢？"我决定按她的话去做。

时天颇暖，织绒袍、哔叽短褂犹觉其热①，此辛酉正月十六日②也。是夜宿锡山客旅，赁被而卧。晨起，趁江阴航船，一路逆风，继以微雨。夜至江阴江口，春寒彻骨，沽酒御寒，囊为之罄。踌躇终夜，拟卸衬衣质钱而渡。十九日，北风更烈，雪势犹浓，不禁惨然泪落，暗计房资、渡费，不敢再饮。

[注释]

①织绒、哔叽：做衣服的布料。
②辛酉正月十六日：1801年2月28日。

[译文]

当时天气比较暖和，穿着织绒袍、哔叽短褂还觉得热，这天是辛酉年正月十六日。当天夜里住在锡山旅馆，租了条被子睡觉。早晨起来，搭乘到江阴的船，一路上顶风，不久又下了小雨。夜间到了江阴江口,春寒透骨,于是买酒御寒,结果把口袋里的钱都花光了。整个夜里犹豫不定,准备把衬衣脱下来典些钱以便渡江。到了十九日,北风更猛,雪也越下越大,我不禁惨然落泪,暗自计算房钱和渡江的费用,不敢再饮酒了。

正心寒股栗间,忽见一老翁,草鞋,毡笠,负黄包。入店,以目视余,似相识者。余曰:"翁非泰州①曹姓耶?"答曰:"然。我非公,死填沟壑矣。今小女无恙,时诵公德。不意今日相逢,何逗留于此?"

[注释]

①泰州:今江苏泰州市。

[译文]

正在心寒体颤的时候,忽然看见一个老人,穿着草鞋,戴着斗笠,背着黄包。走进旅店后,他用眼打量我,好像认识的样子。我问道:"老人家莫非泰州姓曹的?"老人答道:"是的,当年要不是您,我早死掉埋在沟里了。如今小女安然无恙,时常念诵您的恩德。没想到今天相逢,您为什么逗留在这里?"

盖余幕泰州时,有曹姓,本微贱,一女有姿色,已许婿家,有势力者放债,谋其女,致涉讼。余从中调护①,仍归所许。曹即投入公门为隶,叩首作谢,故识之。余告以投亲遇雪之由,曹曰:"明日天晴,我当顺途相送。"出钱沽酒,备极款洽②。

[注释]

①调护:调解回护。

②备极款洽:十分融洽,亲切。

[译文]

我在泰州游幕的时候,有位姓曹的,身份卑微,其女儿颇有姿色,已经许配了人家。但有个有权势的人放债,想谋取他的女儿,结果打起官司。我从中调解回护,让他女儿仍归原来所许的人家。姓曹的随后进公门当了差役,向我磕头表示感谢,故此认识他。我告诉他自己投亲遇雪的缘由,姓曹的老人说:"明天天晴,我顺路护送您过去。"他出钱买酒,对我很是热情。

二十日,晓钟初动,即闻江口唤渡声,余惊起,呼曹同济。曹曰:"勿急,宜饱食登舟。"乃代偿房饭钱,拉余出沽。余以连日逗留,急欲赶渡,食不下咽,强啖麻饼①两枚。及登舟,江风如箭,四肢发战。曹曰:"闻江阴有人缢②于靖,其妻雇是舟而往,必俟雇者来始渡耳。"枵腹③忍寒,午始解缆。至靖,暮烟四合矣。曹曰:"靖有公堂两处,所访者城内耶?城外耶?"余踉跄随其后,且行且对曰:"实不知其内外也。"曹曰:"然则且止宿,明日往访耳。"

[注释]

①麻饼:一种面食,圆形,烘烤而成,表面撒有芝麻。

②缢(yì):吊死。

③枵(xiāo)腹:空着肚子,饥饿。

[译文]

二十日,晓钟刚响,就听到江口喊人渡江的声音。我惊慌地从床上起来,叫曹姓老人一起走,他说:"不着急,等吃饱饭再上船。"他替我付了房钱、饭钱,拉我出去喝酒。我因连日逗留,急着赶去渡江,吃不下东西,只勉强吃了两个麻饼。登船之后,江风如箭,冻得四肢发颤。曹姓老人说:"听说江阴有个人在靖江吊死了,他妻子要雇这艘船过去,一定要等到雇主过来才能渡江。"我忍饥挨饿,冒着严寒,直到中午才解缆开船。到了靖江,已是暮烟四合时分。曹姓老人说:"靖江有两处公堂,你要找的人是住在城内,还是住在城外呢?"我踉跄着跟在他身后,边走边回答:"我实在不知道他是住在城内还是城外。"曹姓老人说:"既然这样,我们就停下来住宿,明天再去找吧。"

进旅店,鞋袜已为泥淤湿透,索火烘之,草草饮食,疲极酣睡。晨起,袜烧其半,曹又代偿房饭钱。访至城中,惠来尚未起,闻余至,披衣出,见余状惊曰:"舅何狼狈至此?"余曰:"姑勿问,有银乞借二金,先遣送我者。"惠来以番饼①二圆授余,即以赠曹。曹力却,受一圆而去。余乃历述所遭,并言来意。惠来曰:"郎舅至戚,即无宿逋②,亦应竭尽绵力,无如③航海盐船新被盗,正当盘帐之时,不能挪移丰赠,当勉措番银二十圆,以偿旧欠,何如?"余本无奢望,遂诺之。

[注释]

①番饼:又称"洋钱",旧时对流入我国的外国银元的称呼。

②宿逋:旧账,旧债。

③无如:无奈。

[译文]

住进旅馆后,发现鞋子、袜子都已被泥水湿透,于是找火来烘烤,草草吃了点晚饭,因疲劳不堪,就酣睡起来。第二天早上起来,发现袜子被火烧了一半。曹姓老人又替我付了房钱、饭钱。我们找到城里,范惠来还未起床。听说我来了,急忙披着衣服出来。看到我窘迫的样子,他吃惊地问道:"舅兄为什么狼狈到这种程度?"我说:"你且别问,有银子请借二两,我先打发送我来的人。"范惠来把两块番银拿给我,我把它送给曹姓老人。他坚决拒收,最后只拿了一块走了。我这才把途中遇到的情况告诉范惠来,并说明此次的来意。范惠来说:"舅兄是至亲,即使没有过去的旧债,我也应竭尽微薄之力。无奈航海的盐船刚刚被盗,正在盘点清账,不能挪用钱款多给你些,我会尽力筹措番银二十块,以偿还旧债,如何?"我本来就没有什么奢望,于是答应了他。

留住两日,天已晴暖,即作归计。廿五日,仍回华宅。芸曰:"君遇雪乎?"余告以所苦。因惨然曰:"雪时,妾以为君抵靖,乃尚逗留江口。幸遇曹老,绝处逢生,亦可谓吉人天相矣。"

[译文]

留下来住了两天,天已转晴变暖,便打算回去。二十五日,我仍旧回到华氏家中,芸问道:"你遇到雪了吗?"我将途中的困苦告诉了她。芸难过地说:"下雪的时候,我以为你已到达靖江,没想到你还在江口逗留。幸亏遇到曹姓老人,绝处逢生,这也算是吉人自有天相吧。"

越数日,得青君信,知逢森已为揖山荐引入店,芑臣请命于吾父,择正月二十四日将伊接去。儿女之事,粗能了了,但分离至此,令人终觉惨伤①耳。

[注释]

①惨伤:悲伤。

[译文]

过了几天,接到青君的来信,知道逢森已被夏揖山推荐到店里做事。王芑臣向我父亲请示,选择正月二十四日把青君接过去。儿女们的事情就这样草草地解决了。但是一家人分离到这种地步,让人总是觉得凄惨悲伤。

二月初,日暖风和,以靖江之项,薄备行装,访故人胡肯堂于邗江盐署①,有贡局众司事公延②入局,代司笔墨,身心稍定。

[注释]

①盐署：古代管理盐务的官署。

②公延：推荐，推举。

[译文]

到了二月初，日暖风和，我用从靖江带来的银两，简单地置办了行装，到邗江盐署去拜访老朋友胡肯堂。贡局诸位管事者推荐我到局里做事，负责笔墨之事，这样身心才稍微安定下来。

至明年壬戌①八月，接芸书曰："病体全瘳②，惟寄食于非亲非友之家，终觉非久长之策，愿亦来邗，一睹平山③之胜。"余乃赁屋于邗江先春门④外，临河两椽⑤。自至华氏，接芸同行。华夫人赠一小奚奴⑥，曰阿双，帮司炊爨⑦，并订他年结邻之约。

[注释]

①壬戌：1802年。

②瘳（chōu）：病愈，痊愈。

③平山：在今扬州北城区平山乡。

④先春门：又名海宁门、大东门，今城门已废。

⑤椽：房屋间数代称。

⑥奚奴：男仆。

⑦炊爨（cuàn）：烧火做饭。

[译文]

到第二年也就是壬戌年八月，我接到芸的来信，上面写道："我的病已痊愈，只是寄食在非亲非故的人家，总觉得并非长久之计。我也想来邗江，一睹平山的胜景。"我就在邗江先春门外临河的地方租了两间房子。自己又到华家，接芸一起过来。华夫人送给我们一个小男仆，名叫阿双，让他帮忙烧火做饭，并约定将来大家要结为邻居。

时已十月,平山凄冷,期以春游。满望散心调摄①,徐图骨肉重圆。不满月,而贡局司事忽裁十有五人,余系友中之友,遂亦散闲。芸始犹百计代余筹画,强颜慰藉,未尝稍涉怨尤。

[注释]

①调摄:调养护理。

[译文]

当时已是十月,平山一带凄清寒冷,只能等到春天再游玩了。满指望在这里散心调养,慢慢筹划与孩子们重新团聚的事情。谁知不到一个月,贡局管事的忽然裁员十五人。我是朋友的朋友,于是也闲散在家。芸起初还想尽各种办法替我谋划,强装笑脸安慰我,没有一点埋怨责怪的意思。

至癸亥①仲春,血疾大发。余欲再至靖江,作将伯之呼②。芸曰:"求亲不如求友。"余曰:"此言虽是,奈友虽关切,现皆闲处,自顾不遑③。"芸曰:"幸天时已暖,前途可无阻雪之虑,愿君速去速回,勿以病人为念。君或体有不安,妾罪更重矣。"

[注释]

①癸亥:1803年。

②将伯之呼:请求帮助。语出《诗经·小雅·正月》:"将伯助予。"毛传:"将,请也;伯,长也。"孔颖达疏:"请长者助我。"

③遑(huáng):闲暇,空闲。

[译文]

到癸亥年仲春,芸的血疾又发作了,我想再去靖江。找范惠来帮忙。芸说:"求亲不如求友。"我说:"这个话虽然有道理,无奈朋友们虽关心我们,但都在家闲着,自顾不暇。"芸说:"幸好天气已暖,去靖江的路上没有雨雪的顾虑,希望你能速去速回,不要挂念我的病。你倘若身体不安,我的罪孽就更重了。"

时已薪水不继,余佯为雇骡,以安其心,实则囊饼徒步,且食且行。向东南,两渡叉河,约八、九十里,四望无村落。至更许,但见黄沙漠漠,明星闪闪,得一土地祠,高约五尺许,环以短墙,植以双柏。因向神叩首,祝曰:"苏州沈某投亲失路①至此,欲假神祠一宿,幸神怜佑。"于是,移小石香炉于旁,以身探之,仅容半体。以风帽反戴掩面,坐半身于中,出膝于外,闭目静听,微风萧萧而已。足疲神倦,昏然睡去。

[注释]

①失路:迷路。

[译文]

当时薪水已经不发,我假装雇匹骡子,让芸安心。实际上则是在袋子里装着饼,徒步行进,边吃边走。向东南两次渡过叉河,走了八九十里,四处看看,没有村落。到一更天的时候,只见黄沙漠漠,明星闪闪。我找到了一个土地庙,高约五尺,周围有短墙,种了两棵柏树。我于是向神磕头,祈祷道:"苏州沈某投亲,在这里迷路,想借神祠住上一宿,请神灵怜悯保佑。"我把小石香炉挪到旁边,用身体试探了一下,仅能容下半个身子。我把风帽反戴,遮住脸,半个身子坐在里面,把腿露在外面,闭目静听,微风萧萧而已。两脚疲劳,精神困倦,不久便昏昏睡去。

及醒,东方已白,短墙外忽有步语声,急出探视,盖土人①赶集经此也。问以途,曰:"南行十里,即泰兴②县城,穿城向东南十里一土墩,过八墩即靖江,皆康庄③也。"余乃反身,移炉于原位,叩首作谢而行。过泰兴,即有小车可附。申刻抵靖。投刺④焉,良久,司阍⑤者曰:"范爷因公往常州去矣。"察其辞色,似有推托,余诘之曰:"何日可归?"曰:"不知也。"余曰:

"虽一年亦将待之。"阍者会余意，私问曰："公与范爷嫡郎舅耶？"余曰："苟非嫡者，不待其归矣。"阍者曰："公姑待之。"越三日，乃以回靖告，共挪二十五金。

[注释]

① 土人：当地人，本地人。
② 泰兴：今江苏泰州市。
③ 康庄：大道，大路。
④ 投刺：递上名帖。
⑤ 司阍：看门，守门。

[译文]

等到醒来时，东方已白，短墙外忽然有走路说话的声音。我急忙出来一看，原来是当地人赶集经过这里。向他们问路，他们说："往南走十里就是泰兴县城，穿过县城向东南，隔十里有一个土墩。走过八个土墩就是靖江，都是大路。"我回过身来，把小石香炉放归原处，向神灵磕头表示感谢之后才上路。过了泰兴，就有小车可坐。申刻时分，到了靖江。我递上名帖，过了很长时间，看门人才出来说："范爷因公到常州去了。"我看他说话的神情，似乎是故意推托，便问他："哪天才能回来呢？"他答道："不知道。"我说："即便他去一年我也等他。"看门人明白我的意思，私下问道："你和范爷是嫡亲郎舅吗？"我说："如果不是嫡亲，我就不等他回来了。"看门人说："您且等着。"过了三天，就告诉我范惠来回到靖江的消息，我从范惠来那里一共筹措了二十五两银子。

雇骡急返，芸正形容惨变，咻咻①涕泣。见余归，卒然②曰："君知昨午阿双卷逃乎？倩人大索，今犹不得。失物小事，人系伊母临行再三交托，今若逃归，中有大江之阻，已觉堪虞，倘其父母匿子图诈，将奈之何？且有何颜见我盟姊？"余曰："请勿急,卿虑过深矣。匪子图诈,诈其富有也,我夫妇两肩担一口耳,况携来半载,授衣分食,从未稍加扑责,邻里咸知。此实小奴丧良,乘危窃逃。华家盟姊赠以匪人,彼无颜见卿,卿何反谓无颜见彼耶?今当一面呈县立案,以杜后患可也。"芸闻余言,意似稍释。然自此梦中呓语③,时呼"阿双逃矣",或呼"憨何负我",而病势日以增矣。

[注释]

①咻(xiū)咻:吵嚷。

②卒然:忽然,突然。

③呓语:梦话。

[译文]

我雇匹骡子急忙往回赶,回到家发现芸的脸色变得很难看,不停地叫嚷和哭泣着。见到我回来,她突然说:"你知道昨天中午阿双带着东西逃跑的事吗?我请人到处寻找,至今还没找到。丢了东西是小事,人是他母亲在我们临走前再三交代托付的。如今他若是往家逃跑,路上有大江阻挡,已觉得很是担心,倘若他父母把儿子藏匿起来图谋敲诈,那该怎么办呢?而且哪有脸面去见我的盟姐呢?"我说:"请别着急,你考虑得过深了。把儿子藏匿起来图谋敲诈,也要敲诈富有的人,我们夫妻俩不过是肩上担着一张嘴。何况带他来了半年,给他衣服穿,给他饭吃,从未训斥打骂,邻里们都知道。这是小奴才丧尽天良,趁人之危偷偷逃跑了。华家盟姐把这种人送给我们,她才应没有脸见你,你怎么反过来说没有脸见她呢?如今应该禀告县衙立案,以杜绝后患就可以了。"芸听了我的话,心情似乎有所放松。但是从此她在说梦话时,经常喊道:"阿双逃跑了。"或者喊道:"憨园为什么辜负我?"而病情也一天天加重了。

余欲延医诊治，芸阻曰："妾病始因弟亡母丧，悲痛过甚，继为情感，后由忿激，而平素又多过虑，满望努力做一好媳妇，而不能得，以至头眩、怔忡①诸症毕备，所谓病入膏肓，良医束手，请勿为无益之费。忆妾唱随二十三年，蒙君错爱，百凡体恤，不以顽劣见弃，知己如君，得婿如此，妾已此生无憾。若布衣暖，菜饭饱，一室雍雍②，优游泉石，如沧浪亭、萧爽楼之处境，真成烟火神仙矣。神仙几世才能修到，我辈何人，敢望神仙耶？强而求之，致干造物之忌，即有情魔之扰。总因君太多情，妾生薄命耳。"因又呜咽而言曰："人生百年，终归一死。今中道③相离，忽焉长别，不能终奉箕帚④，目睹逢森娶妇，此心实觉耿耿⑤。"言已，泪落如豆。

[注释]

①怔忡：中医学病名。较为严重的心悸不安。

②雍雍：和谐，融洽。

③中道：中途，半路。

④奉箕帚：操持家务，指做妻子的意思。

⑤耿耿：牵挂，挂怀。

[译文]

我想去请医生诊治，芸阻止道："我的病起初是因为弟弟外出、母亲去世，悲伤过度造成的。继而是因为情感，后来则是由激愤所致，平时又顾虑得太多。满心希望努力做一个好媳妇，但最终却没有做成，以致头眩、怔忡等各种疾病都有了。人们常说病入膏肓，良医束手，请不要再花无益的钱了。回想我跟着你过了二十三年，蒙你的错爱，百般体恤，不因我顽劣而抛弃我。有你这样的知己，得到你这样的夫婿，我这辈子已没有什么遗憾。像穿着布衣暖和，菜饭吃饱，一家人和睦相处，到泉石间游玩，如沧浪亭、萧爽楼等处，真成了烟火神仙。神仙几辈子才能修到这样的福分，我们是什么人，怎敢奢望与神仙相同呢？强行索求，以致引起上天的嫉妒，就有了情魔的干扰。总之是因为你太多情，我生来薄命啊。"接着，又呜咽着说道："人生百年，终归一死。如今我们中途相离，忽然永别，我不能终身服侍你，亲眼看到逢森娶媳妇，心里着实觉得难以释怀。"说完，泪落如豆。

余勉强慰之曰："卿病八年，恹恹①欲绝者屡矣，今何忽作断肠语耶？"芸曰："连日梦我父母放舟来接，闭目即飘然上下，如行云雾中，殆魂离而躯壳存乎？"余曰："此神不收舍，服以补剂，静心调养，自能安痊。"芸又欷歔曰："妾若稍有生机一线，断不敢惊君听闻。今冥路已近，苟再不言，言无日矣。君之不得亲心，流离颠沛，皆由妾故，妾死则亲心自可挽回，君亦可免牵挂。堂上春秋②高矣，妾死，君宜早归。如无力携妾骸骨归，不妨暂厝③于此，待君将来可耳。愿君另续德容兼备者，以奉双亲，抚我遗子，妾亦瞑目矣。"言至此，痛肠欲裂，不觉惨然大恸。余曰："卿果中道相舍，断无再续之理，况'曾经沧海难为水，除却巫山不是云'④耳。"

[注释]

①恹恹：精神疲乏，气息微弱的样子。

②春秋：年龄。

③厝（cuò）：停灵，停柩。

④曾经沧海难为水，除却巫山不是云：语出唐元稹《离思》诗。

[译文]

我强打精神安慰她说："你患病八年，虚弱欲绝也已有好多次了，今天为什么突然要说这些断肠话呢？"芸说："连着几天梦见我父母派船来接，闭上眼睛便觉得自己飘上飘下，如同行进在云雾中，这大概是魂魄离开只剩下躯壳了吧？"我说："这是神不守舍，服些补药,静心调养,自能安然痊愈。"芸又欷歔道:"我若是还有一线生机,断不敢用这些话来惊吓你。如今冥路已近,如果再不说的话,就没有时间了。你得不到双亲的欢心,流离颠沛,都是因为我的缘故。我死后双亲的心自能挽回,你也可以免去牵连。如今双亲年岁已高,我死之后,你应当早些回去。如果没有力量把我的骸骨带回去,不妨暂时在此停柩,等你将来再解决就可以了。希望你另续一个德容兼备的人,侍奉双亲,抚养遗子,我也就瞑目了。"说到这里,痛肠欲裂,不禁放声大哭。我说:"你要真是中途相舍的话,我断没有再续弦的道理,何况古人曾说过'曾经沧海难为水,除却巫山不是云'。"

芸乃执余手而更欲有言,仅断续叠言"来世"二字,忽发喘,口噤①,两目瞪视,千呼万唤,已不能言。痛泪两行,涔涔②流溢。既而喘渐微,泪渐干,一灵缥缈,竟尔长逝。时嘉庆癸亥三月三十日③也。当是时,孤灯一盏,举目无亲,两手空拳,寸心欲碎。绵绵此恨,曷其有极。

[注释]

①口噤:嘴巴紧闭。

②涔涔:泪流不止的样子。

③嘉庆癸亥三月三十日:1803年5月20日。

[译文]

芸于是抓着我的手,还有很多话要说,却仅能断断续续地重复着"来世"两个字。突然,她急促地喘息起来,嘴巴紧闭,两眼瞪着我。任凭千呼万唤,已不能说话。两行清泪,从她的眼角不断流出来。既而喘息声渐渐微弱下来,泪水渐渐干枯。魂灵飘然离去,至此竟成永别。这一天是嘉庆癸亥年三月三十日。此时只有孤灯一盏,我举目无亲,两手空拳,寸心欲碎。绵绵此恨,哪里会有个尽头。

承吾友胡肯堂以十金为助，余尽室中所有，变卖一空，亲为成殓①。呜呼，芸一女流，具男子之襟怀才识。归吾门后，余日奔走衣食，中馈缺乏，芸能纤悉②不介意。及余家居，惟以文字相辩析而已。卒之疾病颠连③，赍④恨以没，谁致之耶？余有负闺中良友，又何可胜道哉？奉劝世间夫妇，固不可彼此相仇，亦不可过于情笃。语云："恩爱夫妻不到头。"如余者，可作前车之鉴也。

[注释]

①成殓：入殓。

②纤悉：详细，详尽。

③颠连：困顿。

④赍（jī）：怀着，带着。

[译文]

承蒙我的朋友胡肯堂资助了十两银子，我又把室内所有的东西变卖一空，亲自为芸料理丧事。啊，芸只是一个女流之辈，却具有男人的胸怀和才识。自从嫁到我家之后，我每天为衣食而奔走，生活困顿，芸一点都不介意。我在家居住的时候，两人只是以文字相辨析而已。最后生病颠连，含恨而去，这都是谁导致的呢？我有负闺中良友的地方，又哪能说得完呢？奉劝人世间的夫妇：固然不可彼此反目为仇，但也不可过于情深意厚。俗话说："恩爱夫妻不到头。"像我这样的，可以作为前车之鉴啊。

回煞①之期，俗传是日魂必随煞而归，故房中铺设一如生前，且须铺生前旧衣于床上，置旧鞋于床下，以待魂归瞻顾，吴下相传谓之"收眼光"。延羽士②作法，先召于床而后遣之，谓之"接眚③"。邗江俗例，设酒肴于死者之室。一家尽出，谓之"避眚"。以故有因避被窃者。

[注释]

①回煞：旧时人们认为人死后若干天内，魂魄会回到原来的家里。

②羽士：道士。

③眚（shěng）：灾难，灾祸。

[译文]

到了回煞的日子，民间相传这一天死者的灵魂必定会随煞返家。故此房中的陈设都要像死者生前那样，而且要在床上铺些死者生前的旧衣服，将其旧鞋放到床下，以等待死者的灵魂光顾。吴地人相传把这叫做"收眼光"。请道士作法，先把魂招到床上，然后再打发走，这叫做"接眚"。邗江的民间风俗是在死者生前居住的房间里摆上酒菜，一家人都出去，这叫做"避眚"。因为这个缘故，还有因回避导致家中被窃这样的事情发生。

芸娘眚期，房东因同居而出避，邻家嘱余亦设肴远避。余冀魄归一见，姑漫应之。同乡张禹门谏余曰："因邪入邪，宜信其有，勿尝试也。"余曰："所以不避而待之者，正信其有也。"张曰："回煞犯煞①，不利生人，夫人即或魂归，业已阴阳有间，窃恐欲见者无形可接，应避者反犯其锋耳。"时余痴心不昧②，强对曰："死生由命。君果关切，伴我何如？"张曰："我当于门外守之，君有异见，一呼即入可也。"

[注释]

①犯煞：旧时说法，冲撞、冒犯凶神邪气，不吉利。

②不昧：不改，不忘。

[译文]

芸的眚期到了，房东因和我们同居而到外面回避，邻居吩咐我也要在摆好酒菜后远避。我希望在芸的魂灵回来时见上一面,姑且随口答应着。同乡张禹门规劝我道:"因邪入邪,应该相信真有此事,你就不要尝试了。"我说:"我不回避而在这里等着的原因,正是相信其有啊。"张禹门说:"回煞犯煞,这对活着的人不吉利。夫人即便是灵魂回来了,但阴阳有别,我担心的是想看到的却什么都看不到,该回避的反而没有办法回避。"当时我痴心不改,勉强对他说:"死生由命,您要是真的关心我,留在这里陪我如何?"张禹门说:"我在门外守着,你要是发现有什么异常,喊一声我就进来了。"

余乃张灯入室,见铺设宛然,而音容已杳,不禁心伤泪涌。又恐泪眼模糊,失所欲见,忍泪睁目,坐床而待。抚其所遗旧服,香泽犹存,不觉柔肠寸断,冥然昏去。转念待魂而来,何遽①睡耶?开目四现,见席上双烛,青焰荧荧②,缩光如豆,毛骨悚然,通体寒栗。因摩两手擦额,细瞩之,双焰渐起,高至尺许,纸裱顶格③,几被所焚。余正得藉光四顾间,光忽又缩如前。此时心舂股栗,欲呼守者进观,而转念柔魂弱魄,恐为盛阳所逼,悄呼芸名而祝之,满室寂然,一无所见,既而烛焰复明,不复腾起矣。出告禹门,服余胆壮,不知余实一时情痴耳。

[注释]

①遽(jù):急忙,匆忙。
②荧荧:灯光闪烁的样子。
③顶格:天花板。

[译文]

我于是点上灯走到室内,看到屋里的陈设同芸生前一样,但她的音容笑貌却再也见不到了,不禁伤心落泪。又担心泪眼模糊,无法看到想见的东西,只得忍泪睁眼,坐在床上等着。用手摸着她留下来的旧衣服，香味犹存，不禁感到柔肠寸断，迷迷糊糊地昏睡过去。转念一想，我在这里等待灵魂归来，怎么能这么快睡着？睁开眼睛，四处打量，只见桌子上的两根蜡烛，荧荧地闪着青光，火焰小得如豆粒般大小。我一下感到毛骨悚然，浑身发抖。于是用两手擦了擦额头，仔细地盯着蜡烛，只见其火焰逐渐升起，高约一尺，用纸裱糊的天花板差点被火烧到。我正借着光亮四处观望，火焰突然又缩到原来的大小，此时我的心怦怦直跳，双腿颤抖，想喊在外面守着的张禹门进来看，但又想到柔魂弱魄，担心她被阳气逼迫，只好悄悄地喊着芸的名字为她祈祷。整个房间内寂静无声，一无所见，既而蜡烛又亮了起来，但已不再腾起了。我出去把自己所看到的情况告诉了张禹门，他佩服我胆子大，但他哪里知道我不过是一时情痴罢了。

芸没后，忆和靖"妻梅子鹤"①语，自号"梅逸"。权葬芸于扬州西门外之金桂山②，俗呼郝家宝塔。买一棺之地，从遗言寄于此。携木主③还乡，吾母亦为悲悼。青君、逢森归来，痛哭成服④。启堂进言曰："严君⑤怒犹未息，兄宜仍往扬州，俟严君归里，婉言劝解，再当专札相招。"

[注释]

①和靖"妻梅子鹤"：林逋（967～1028），字君复，卒谥和靖先生。钱塘人。曾隐居西湖孤山，种梅养鹤，终生不仕不娶，自称"以梅为妻，以鹤为子"。

②金桂山：又称"金匮山"、"金龟山"，在今扬州市邗江北路与平山堂西路交界处。

③木主：木制的牌位，上书死者姓名，以供祭祀。

④成服：穿上丧服。

⑤严君：父亲。

[译文]

芸去世后，我想到和靖有"妻梅子鹤"之语，就自号"梅逸"，暂且将芸葬在扬州西门外的金桂山，俗称郝家宝塔。买了一块停棺的地方，按照芸的遗言将其骸骨寄放在这里。带着她的牌位回家，我母亲也感到悲伤。青君、逢森回来，听到消息后都痛哭起来，穿上丧服守孝。启堂劝我说："父亲的怒气还没有平息，哥哥应当还到扬州去，等父亲回家，我婉言劝解，然后再专门去信喊你回来。"

余遂拜母，别子女，痛哭一场，复至扬州，卖画度日。因得常哭于芸娘之墓，影单形只，备极凄凉，且偶经故居，伤心惨目。重阳日，邻冢①皆黄，芸墓独青，守坟者曰："此好穴场，故地气旺也。"余暗祝曰："秋风已紧，身尚衣单，卿若有灵，佑我图得一馆，度此残年，以待家乡信息。"

[注释]

①冢（zhǒng）：坟墓。

[译文]

我于是拜别母亲，和子女们告别，痛哭一场之后，又来到扬州，靠卖画度日。因此能经常在芸的坟墓前哭诉，一个人影单形只，十分凄凉。偶尔从故居经过，伤心落泪。到了重阳节，邻近的坟墓都是黄色的，只有芸的坟墓是绿色的。守坟人说："这是块好坟地，因此地气旺。"我暗暗祈祷道："秋风已紧，身上的衣服还很单薄，你若是有灵的话，保佑我找到一个馆坐，度过这个残年，以等待来自家乡的消息。"

未几，江都幕客章驭庵先生欲回浙江葬亲，倩余代庖三月，得备御寒之具。封篆①出署，张禹门招寓其家。张亦失馆，度岁艰难，商于余，即以余资二十金倾囊借之，且告曰："此本留为亡荆扶柩②之费，一俟得有乡音，偿我可也。"是年即寓张度岁，晨占夕卜，乡音殊杳。

[注释]

①封篆：停止办公。

②扶柩：护送灵柩。

[译文]

不久，在江都游幕的章驭庵先生要回浙江葬亲，请我代他料理事务三个月，由此得以置办御寒的用品。代理期满，离开官署，张禹门邀请我到他家里去住。张禹门此时也失馆在家，年关难过。他和我商量，我就把仅存的二十两银子都借给了他，并且告诉他说："这本是留着为亡妻迁柩的费用，等到家里有消息来，再还我就可以了。"这一年我就在张禹门家过年，早晚盼望消息，但家里一直杳无音信。

至甲子①三月，接青君信，知吾父有病。即欲归苏，又恐触旧忿。正趑趄②观望间，复接青君信，始痛悉吾父业已辞世。刺骨痛心，呼天莫及。无暇他计，即星夜驰归，触首灵前，哀号流血。呜呼，吾父一生辛苦，奔走于外。生余不肖，既少承欢③膝下，又未侍药床前，不孝之罪，何可逭④哉？吾母见余哭，曰："汝何此日始归耶？"余曰："儿之归，幸得青君孙女信也。"吾母目余弟妇，遂嘿然⑤。余入幕守灵至七，终无一人以家事告，以丧事商者。余自问人子之道已缺，故亦无颜询问。

[注释]

①甲子：1804年。

②趑趄（zī jū）：犹豫不决，拿不定主意。

③承欢：侍奉父母，让父母开心。

④逭（huàn）：逃避。

⑤嘿然：沉默，默不做声。

[译文]

到甲子年三月，我接到青君的来信，得知我父亲患病。当时本想回到苏州，但又担心触动旧怨。正在犹豫观望的时候，又接到青君写来的信，悲痛地获知我父亲已辞世的消息，顿感刺骨痛心，呼喊青天也来不及。没时间再作其他打算，随即连夜赶回。我在父亲灵前磕头，哀号流血。啊，我父亲一生辛苦，在外面奔波，生下我这个不肖之子，既没有在他身边侍奉，也没有在其床前端药，不孝的罪名哪能逃得掉呢？我母亲看到我痛哭，问道："你怎么今天才回来？"我说："我回来是幸亏得到青君孙女的信函。"我母亲用眼看了看弟媳妇，就默不做声了。我在灵棚里守灵直到七七，始终没有一个人告诉我家里的事情，也没有为丧事和我商量。我自愧做儿子的缺少孝道，所以也就没脸去询问。

一日，忽有向余索逋者登门饶舌，余出应曰："欠债不还，固应催索，然吾父骨肉未寒，乘凶追呼，未免太甚。"中有一人私谓余曰："我等皆有人招之使来，公且避出，当向招我者索偿也。"余曰："我欠我偿，公等速退。"皆唯唯而去。余因呼启堂谕之曰："兄虽不肖，并未作恶不端，若言出嗣降服①，从未得过纤毫嗣产，此次奔丧归来，本人子之道，岂为产争故耶？大丈夫贵乎自立，我既一身归，仍以一身去耳。"言已，返身入幕，不觉大恸。叩辞吾母，走告青君，行将出走深山，求赤松子②于世外矣。

[注释]

①出嗣降服：出嗣，过继给他人为子。旧制，丧服降低一等为降服。子为父母应服三年之丧，而出继者如为亲生父母服丧，则降三年为一年之服。

②赤松子：传说中的神仙，据说是神农时的雨师。

[译文]

一天，忽然有几个人向我索要旧债，登门饶舌，我出去应答道："欠债不还，固然应当催索，然而我父亲尸骨未寒，乘人丧事来追讨，这未免太过分了。"其中一个人私下对我说："我们都是被人喊过来的，你暂且躲避出去，我们向喊我们来的人讨债。"我说："我欠的债我偿还，你们赶快回去。"他们都答应着离开了。我于是把启堂喊出来，对他说："你兄长虽然不肖，但也并未作恶多端。如果说是过继降服，我从来没有得到过一点财产。这次奔丧回来，本是为了尽为人之子的孝道，岂是为了争夺遗产的缘故吗？大丈夫贵乎自立，我既然一个人回来，仍旧一个人离开。"说完，我返身回到灵棚里，不禁痛哭失声。我向母亲磕头辞别，又去告知青君，准备离家出走到深山里，在尘世之外跟着赤松子修仙学道。

青君正劝阻间，友人夏南薰字淡安、夏逢泰字揖山两昆季寻踪而至，抗声①谏余曰："家庭若此，固堪动忿，但足下父死而母尚存，妻丧而子未立，乃竟飘然出世，于心安乎？"余曰："然则如之何？"淡安曰："奉屈暂居寒舍，闻石琢堂殿撰②有告假回籍之信，盍俟其归而往谒之？其必有以位置君也。"余曰："凶丧未满百日，兄等有老亲在堂，恐多未便。"揖山曰："愚兄弟之相邀，亦家君③意也。足下如执以为不便，西邻有禅寺，方丈僧与余交最善，足下设榻于寺中，何如？"余诺之。青君曰："祖父所遗房产，不下三四千金，既已分毫不取，岂自己行囊亦舍去耶？我往取之，径送禅寺父亲处可也。"因是于行囊之外，转得吾父所遗图书、砚台、笔筒数件。

[注释]

①抗声：大声，高声。

②殿撰：旧时状元的通称。

③家君：家父。

[译文]

青君正在劝阻的时候，我的朋友夏南薰（字淡安）、夏逢泰（揖山）两兄弟寻踪来到家里。他们大声规劝我说："家里闹到这般地步，确实应当生气。但你父亲虽死，母亲还在世，妻子死了，儿子还未成年，你竟然要飘然出世，于心能安吗？"我问道："那又该怎么办呢？"夏淡安说："建议你暂且屈居寒舍，听说石琢堂状元有要请假回老家的消息，你何不等他回来后去拜访他？他必定能给你安排个职位。"我说："丧期未满一百天，你们还有父母在家，我去住恐怕多有不便。"夏揖山说："我们兄弟俩邀请你，也是老父亲的意思。你如果坚持认为不方便，我家西边有个禅寺，其方丈和我关系最好，你先在寺庙里住下来，怎么样？"我答应了。青君说："祖父留下的房产，不少于三四千两银子，既然您分毫不取，岂能连自己的行装也舍弃了？我去拿过来，直接送到禅寺里父亲的住处就是了。"因为这个缘故，我在自己的行装之外，还得到了父亲遗留下来的图书、砚台、笔墨等数件物品。

寺僧安置余于大悲阁。阁南向，向东设神像，隔西首一间，设月窗①，紧对佛龛，本为作佛事者斋食之地，余即设榻其中。临门有关圣②提刀立像，极威武。院中有银杏一株，大三抱，荫覆满阁，夜静风声如吼。揖山常携酒果来对酌，曰："足下一人独处，夜深不寐，得无畏怖耶？"余曰："仆一生坦直，胸无秽念，何怖之有？"

[注释]

①月窗：用以透光的小窗户。

②关圣：关羽。

[译文]

禅寺的僧人把我安置在大悲阁里。大悲阁朝南,东边安放了一尊神像,西边隔出一间房子,开了个小窗户,正对着佛龛,本是做佛事的人用斋饭的地方,我就把床放在里面。门边有尊关帝提刀站立的塑像,极其威武。院子里有棵银杏树,有三人合抱那么粗,树荫覆盖了整个大悲阁,夜深人静的时候,风声如吼。夏揖山经常带着酒果过来小酌,他问道:"你一人孤身住在这里,夜深睡不着的时候,不会觉得害怕吧?"我答道:"我一生坦诚直率,胸无杂念,有什么可害怕的?"

居未几①,大雨倾盆,连宵达旦三十余天。时虑银杏折枝,压梁倾屋,赖神默佑,竟得无恙。而外之墙坍屋倒者,不可胜计,近处田禾俱被漂没②。余则日与僧人作画,不见不闻。

[注释]

①未几:不久,很快。

②漂没:冲没,淹没。

[译文]

住下来不久,大雨倾盆,没日没夜地下了三十多天。当时担心银杏树枝折断,会压塌房梁,所幸神灵保佑,最后安然无恙。但外面墙塌房倒,不计其数,近处田里的庄稼都被水冲走了。我则每天和僧人画画,对外面发生的事情不见不闻。

七月初,天始霁。揖山尊人号莼芗,有交易赴崇明①,偕余往,代笔书券,得二十金。归,值吾父将安葬,启堂命逢森向余曰:"叔因葬事乏用②,欲助一、二十金。"余拟倾囊与之,揖山不允,分帮其半。余即携青君先至墓所,葬既毕,仍返大悲阁。

[注释]

①崇明：今上海崇明县。

②乏用：缺欠，手头紧。

[译文]

到七月初，天开始转晴。夏揖山的父亲（号莼芗）要去崇明做生意，带我一起去，我帮他代笔记账，由此得了二十两银子的酬金。回来的时候，正赶上我父亲要下葬，启堂让逢森对我说："叔叔下葬费用不够，想让您帮着出一二十两银子。"我准备把口袋里的钱都给他，但夏揖山不答应，只让我拿出其中一半。我便带着青君先到墓地，等父亲下葬后，仍回到大悲阁去住。

九月杪①，揖山有田在东海永泰沙②，又偕余往收其息。盘桓两月，归已残冬，移寓其家雪鸿草堂度岁。真异姓骨肉也。

[注释]

①杪（miǎo）：月份的末尾。

②东海：在今江苏启东县东海镇。永泰沙：在今江苏启东县久隆镇，乾隆四十六年（1781）新涨出。

[译文]

到了九月末，夏揖山在东海永泰沙有片田地，他又带我一起去收田租。在那里停留了两个月，回来的时候已是残冬，我移居到他家的雪鸿草堂过年。夏氏兄弟真是我的异姓骨肉啊。

乙丑①七月，琢堂始自都门②回籍。琢堂名韫玉，字执如，琢堂其号也，与余为总角③交，乾隆庚戌殿元④。出为四川重庆守。白莲教之乱，三年戎马，极著劳绩。及归，相见甚欢，旋于重九日挈眷重赴四川重庆之任，邀余同往。

[注释]

①乙丑：1805年。

②都门：京都，都城。

③总角：幼年，儿时。

④乾隆庚戌殿元：乾隆庚戌，1790年。殿元，状元。

[译文]

直到乙丑年七月，石琢堂才从京城回到老家。石琢堂名韫玉，字执如，琢堂是他的号。他和我是小时候的朋友，乾隆庚戌年考中状元。后来到四川重庆担任知府，白莲教造反期间，他三年戎马，立下很多功劳。他回来之后，我们相见甚欢。很快，他就在重阳节那天带着眷属，又要到四川重庆赴任，并邀请我一起去。

余即叩别吾母于九妹倩①陆尚吾家，盖先君故居已属他人矣。吾母嘱曰："汝弟不足恃②，汝行须努力。重振家声，全望汝也。"逢森送余至半途，忽泪落不已，因嘱勿送而返。

[注释]

①妹倩：妹夫，妹婿。

②恃：依赖，依靠。

[译文]

我便去九妹婿陆尚吾家叩别母亲，此时我父亲的故居已经属于他人了。我母亲嘱咐道："你弟弟不能依靠，你此行一定要努力，重振家声，全指望你了。"逢森送我走到半路，忽然不停地流泪。我于是吩咐他不要再送，让他回去。

舟出京口①，琢堂有旧交王惕夫孝廉②在淮扬盐署，绕道往晤，余与偕往，又得一顾芸娘之墓。返舟由长江溯流而上，一路游览名胜。至湖北之荆州，得升潼关观察之信③，遂留余与其嗣君④敦夫、眷属等，暂寓荆州，琢堂轻骑减从，至重庆度岁，遂由成都历栈道之任。

[注释]

①京口：今江苏镇江。

②孝廉：明清时期对举人的称呼。

③潼关：在今陕西潼关县。观察：道员。

④嗣君：儿子。

[译文]

船离开京口，石琢堂有个旧交王惕夫孝廉在淮扬盐署供职，就绕道去拜访他。我也一起过去，又得到机会去看望芸娘的坟墓。船回来后从长江逆流而上，一路上游览名胜。到了湖北荆州，石琢堂得到升任潼关观察的消息，他于是把我和他的儿子敦夫及其他眷属留下，暂时住在荆州，琢堂本人则轻骑减从，到重庆过年，再由成都过栈道去赴任。

丙寅①二月，川眷始由水路往，至樊城②登陆。途长费巨，车重人多，毙马折轮，备尝辛苦。抵潼关甫三月，琢堂又升山左廉访③。清风两袖，眷属不能偕行，暂借潼川书院作寓。十月杪，始支山左廉俸，专人接眷。附有青君之书，骇悉逢森于四月间夭亡。始忆前之送余堕泪者，盖父子永诀也。呜呼，芸仅一子，不得延其嗣续耶。琢堂闻之，亦为之浩叹④，赠余一妾，重入春梦。从此扰扰攘攘，又不知梦醒何时耳。

[注释]

①丙寅：1806年。

②樊城：在今湖北襄樊市樊城区。

③山左：今山东。廉访：按察使。

④浩叹：叹息，叹气。

[译文]

丙寅年二月，石琢堂的家眷才开始从水路过去，到了樊城登陆。路途远，花费高，车重人多，马死轮断，一路上备尝艰辛。到了潼关才三个月，石琢堂又升任山东廉访，当时他两袖清风，财力不够，家眷不能一起走，就暂住在潼关书院。十月底，石琢堂才领到山东的俸银，派人来接家眷。来人带给我青君的来信，我惊讶地得知逢森已于四月间死去。这才想起先前他送我的时候为什么流泪，这是我们父子的永别啊。唉，芸只生了一个儿子，不能延续子嗣了。石琢堂听到这个消息，也为我感叹不已。他送给我一个小妾，让我重入春梦。从此扰扰攘攘，又不知道梦会在什么时候醒来。

第四卷　浪游记快

余游幕三十年来，天下所未到者，蜀中、黔中与滇南耳①。惜乎轮蹄征逐②，处处随人，山水怡情，云烟过眼，不过领略其大概，不能探僻寻幽也。余凡事喜独出己见，不屑随人是非，即论诗品画，莫不存人珍我弃、人弃我取之意。故名胜所在，贵乎心得，有名胜而不觉其佳者，有非名胜而自以为妙者，聊以平生所历者记之。

[注释]

①蜀中、黔中、滇南：泛指四川、贵州、云南等地。

②轮蹄征逐：车马往来。

[译文]

我在各地游幕三十多年来，天下没有去过的地方，只有四川、贵州和云南等少数几处。可惜车马往来匆匆，处处都是跟随别人，山水怡人性情，云烟从眼前经过，不过都是领略其大概而已，自然也就不能探僻寻幽了。我凡事喜欢发表自己的见解，不屑于跟着别人的意见走，即便是论诗品画，也都常怀人珍我弃、人弃我取之心。所以谈论名胜，贵在有个人的心得体会，有的是名胜但并不觉得它好，有的不是名胜自己却觉得不错，姑且把我生平所游历的地方记录下来。

余年十五时，吾父稼夫公馆于山阴赵明府幕中①。有赵省斋先生名传者，杭之宿儒也，赵明府延教其子，吾父命余亦拜投门下。暇日出游，得至吼山②。离城约十余里，不通陆路。近山见一石洞，上有片石，横裂欲堕，即从其下荡舟入。豁然空其中，四面皆峭壁，俗名之曰"水园"。临流建石阁五椽，对面石壁有"观鱼跃"三字，水深不测，相传有巨鳞③潜伏，余投饵试之，仅见不盈尺者出而唼④食焉。阁后有道通旱园，拳石乱叠，有横阔如掌者，有柱石平其顶而上加大石者，凿痕犹在，一无可取。游览既毕，宴于水阁，命从者放爆竹，轰然一响，万山齐应，如闻霹雳声。此幼时快游之始。惜乎兰亭、禹陵未能一到⑤，至今以为憾。

[注释]

①山阴：今浙江绍兴。明府：县令。

②吼山：在今浙江绍兴县皋埠镇境内。

③巨鳞：大鱼。

④唼（shà）：鱼吃食物的声音。

⑤兰亭：在今浙江省绍兴西南兰渚山。禹陵：即大禹陵，在今浙江绍兴市越城区禹陵乡禹陵村。

[译文]

我十五岁的时候，父亲稼夫公在山阴赵明府的幕中供职。有位赵省斋先生，名传，是杭州的宿儒，赵明府延请他教自己的孩子，我父亲命我也拜在先生门下。闲暇的时候外出游玩，有机会到吼山，吼山离城约十多里，不通陆路。离山近处见到一个石洞，上边有块石头，横着裂开，好像要掉下来，我们就从其下面荡舟而入。里面豁然空旷，四周都是峭壁，通常叫它为"水园"。临水建了五间石阁，对面的石壁上有"观鱼跃"三个字。水深不测，相传有大鱼潜伏在里面，我投些鱼饵试探，仅见一些不满一尺的鱼儿出来吃食。石阁后面有条道通往旱园，里面拳石乱矗，有横阔如手掌的，有柱石顶端被弄平，上边加了块大石头的，凿痕还在，没有什么可取之处。游览之后，大家在水阁里宴饮，命随从们放爆竹，爆竹轰然一响，万山齐声应和，如同听到了霹雳声。这是我小时候畅快游览的开始。可惜兰亭、禹陵这些地方未能一游，至今仍感到遗憾。

至山阴之明年，先生以亲老不远游，设帐于家，余遂从至杭，西湖之胜，因得畅游。结构之妙，余以龙井①为最，小有天园②次之。石取天竺之飞来峰③，城隍山之瑞石古洞④。水取玉泉⑤，以水清多鱼，有活泼趣也。大约至不堪者，葛岭之玛瑙寺⑥。其余湖心亭、六一泉诸景⑦，各有妙处，不能尽述，然皆不脱脂粉气，反不如小静室之幽僻，雅近天然。

[注释]

①龙井：在今浙江杭州西湖西南凤篁岭。以泉闻名，与玉泉、虎跑泉并称杭州三大名泉。

②小有天园：在今浙江杭州南屏山，"小有天园"之名为乾隆皇帝南巡杭州时所赐。

③天竺：即天竺山，在今浙江杭州西，有上天竺寺、中天竺寺、下天竺寺，合称"天竺三寺"，皆杭州名刹。飞来峰：又名"灵鹫峰"，高168米，在今杭州灵隐寺前。

④城隍山：又名"吴山"，在今浙江杭州钱塘江北岸，西湖东南。瑞石古洞：又名"紫阳洞"、"雪风洞"，在今杭州紫阳山。

⑤玉泉：在今杭州西湖西杭州植物园内。

⑥葛岭：在今杭州西湖北宝石山西，海拔166米。相传东晋时道士葛洪曾在此修道，故名。玛瑙寺：原名玛瑙宝胜院，因位于孤山玛瑙坡而得名，始建于五代，历代屡有兴废，现存建筑为清同治间重建。

⑦湖心亭：又名"振鹭亭"，在今杭州西湖中央。六一泉：在今浙江杭州

孤山南，苏轼命名，以纪念欧阳修，欧阳修自号"六一居士"。

[译文]

到山阴的第二年，先生因双亲年事已高，不远游，就在家设帐，我于是跟着他到杭州去，西湖的胜景由此得以畅游。若论西湖各处风景的结构之妙，我认为龙井第一，小有天园次之。石我取天竺的飞来峰，城隍山的瑞石古洞。水我取玉泉，因为它水清鱼多，有活泼的情趣。说到很不好的，是葛岭的玛瑙寺。其余湖心亭、六一泉等风景，各有其妙处，不能尽述，但都不脱脂粉之气，反倒不如小静室的幽僻，清雅近于天然。

苏小墓在西泠桥侧①。土人指示，初仅半丘黄土而已。乾隆庚子②，圣驾南巡，曾一询及。甲辰③春，复举南巡盛典，则苏小墓已石筑其坟，作八角形，上立一碑，大书曰："钱塘苏小小之墓。"从此吊古骚人不须徘徊探访矣。余思古来烈魄忠魂堙没④不传者，固不可胜数，即传而不久者，亦不为少。小小一名妓耳，自南齐至今，尽人而知之，此殆灵气所钟，为湖山点缀耶？

[注释]

①苏小：即苏小小，南齐时钱塘名妓。西泠桥：在今杭州西湖孤山西段。

②乾隆庚子：1780年。

③甲辰：1784年。

④堙（yīn）没：埋没。

[译文]

苏小小的墓在西泠桥的旁边。经当地人指点才看到，起初不过是半丘黄土而已。乾隆庚子年，圣上南巡，曾问及此墓。到甲辰年春天，圣上又举行南巡盛典，此时苏小小墓已用石头砌坟，呈八角形，上面立了块石碑，用大字写道："钱塘苏小小之墓。"从此，吊古的骚人们就不必再到处探访了。我想自古以来烈魄忠魂湮没不传的，数不胜数，传而不久的，也不算少，苏小小不过是一个名妓罢了，从南齐到现在，尽人皆知，这大概是灵气所钟，为湖山做点缀吧？

桥北数武，有崇文书院①，余曾与同学赵缉之投考其中。时值长夏，起极早，出钱塘门②，过昭庆寺③，上断桥④，坐石栏上。旭日将升，朝霞映于柳外，尽态极妍；白莲香里，清风徐来，令人心骨皆清。步至书院，题犹未出也。

[注释]

①崇文书院：在今杭州栖霞岭南，为明万历间徽商所建。
②钱塘门：杭州古城门之一，建于南宋。
③昭庆寺：在今杭州宝石山东，南临西湖，建于五代时，今已废。
④断桥：在今杭州西湖白堤东端。

[译文]

桥北不远，有座崇文书院，我曾和同学赵缉之到这里投考。当时正是夏天，我们起床很早，出钱塘门，过昭庆寺，上断桥，坐在石栏杆上。旭日将要升起，朝霞映在柳外，无不展现着极美丽的姿态。白莲香里，清风徐来，令人心骨都感到清爽。走到书院，题目还没有出好。

午后缴卷，偕缉之纳凉于紫云洞。大可容数十人，石窍①上透日光。有人设短几矮凳，卖酒于此。解衣小酌，尝鹿脯②，甚妙，佐以鲜菱、雪藕③，微酣出洞。缉之曰："上有朝阳台，颇高旷，盍往一游？"余亦兴发，奋勇登其巅，觉西湖如镜，杭城如丸，钱塘江如带，极目可数百里，此生平第一大观也。坐良久，阳乌将落，相携下山，南屏④晚钟动矣。韬光、云栖⑤，路远未到,其红门局⑥之梅花,姑姑庙之铁树,不过尔尔。紫阳洞余以为必可观,而访寻得之,洞口仅容一指,涓涓流水而已,相传中有洞天⑦,恨不能抉门⑧而入。

[注释]

①石窍:石洞。

②鹿脯:鹿肉干。

③雪藕:嫩藕。

④南屏:即南屏山,在今杭州西湖南岸。

⑤韬光:在今杭州灵隐寺西北巢枸坞,有韬光寺等建筑。云栖:在今杭州五云山以西,云栖竹径为杭州著名景点。

⑥红门局:在今浙江杭州市定安路附近。

⑦洞天:神仙居住的地方。

⑧抉门:找到门。

[译文]

午后交卷,和赵缉之一起到紫云洞纳凉,这里大小可容纳几十人,石洞上透进日光。有人放上短几矮凳,在这里卖酒。我们脱下外衣,坐下来小酌,品尝鹿肉干,感觉非常好。再吃些鲜菱角、嫩藕,醉醺醺走出洞。赵缉之说:"上面有个朝阳台,颇为高旷,我们何不过去一游?"我也兴致大发,奋勇登上顶去,看到西湖如镜,杭州城如丸,钱塘江如带,极目可以看到数百里之外,这是生平第一大观。坐了很长时间,太阳快要落山了,我们这才相互搀扶着下山,此时南屏的晚钟已经敲响。韬光、云栖两处,因为路远未到,其他如红门局的梅花,姑姑庙的铁树,不过尔尔。紫阳洞我以为一定值得一看,寻访到那里,发现洞口仅能容下一个手指,从里面流出涓涓细水,相传里面有神仙居住的洞府,恨不能找到门进去。

清明日,先生春祭扫墓,挈余同游。墓在东岳①,是乡多竹，坟丁②掘未出土之毛笋，形如梨而尖，作羹供客。余甘之，尽其两碗。先生曰："噫，是虽味美而克心血，宜多食肉以解之。"余素不贪屠门之嚼③，至是饭量且因笋而减。归途觉烦躁，唇舌几裂。过石屋洞④，不甚可观。水乐洞峭壁多藤萝，入洞如斗室，有泉流甚急，其声琅琅。池广仅三尺，深五寸许，不溢亦不竭。余俯流就饮，烦躁顿解。洞外二小亭，坐其中可听泉声。衲子请观万年缸⑤。缸在香积厨⑥，形甚巨，以竹引泉灌其内，听其满溢，年久结苔，厚尺许，冬日不冰，故不损也。

[注释]

①东岳：在今浙江杭州北高峰。

②坟丁：看坟的人。

③屠门之嚼：吃肉。

④石屋洞：在今杭州南高峰烟霞岭，与水乐洞、烟霞洞并称烟霞三洞。

⑤衲子：僧人。万年缸：水乐洞旁点石庵内的一个巨缸，嵌于石中，因日久天长，与石融为一体。

⑥香积厨：寺僧斋堂。

[译文]

到了清明节，先生春祭扫墓，带我一起去游玩。墓在东岳，这里有很多竹子，守墓人挖了一些未出土的毛笋，形状像梨但比梨尖，用它做菜供客。我喜欢吃，一下吃了两碗，先生说："噫，这东西虽然味道美却克心血，要多吃些肉来化解它。"我向来不喜欢吃肉，从此饭量因这些竹笋减少了。回去的路上觉得烦躁，嘴唇都要干裂了。路过石屋洞，没有什么可看的。水乐洞峭壁上有很多藤萝，进入洞内，只有一间小房子那么大，泉水流得很急，其声琅琅。水池仅三尺大，深五寸左右，不满也不干。我俯下身对着泉水喝了几口，烦躁顿时消除。洞外有两个小亭子，坐在其中可以聆听泉水声。僧人请我们看万年缸。缸在香积厨里，外形很大，用竹子把泉水引到里面，让它流满。年份久了，里面结有厚达一尺左右的水苔，冬天不结冰，所以也没有损坏。

辛丑①秋八月，吾父病疟返里，寒索火，热索冰，余谏不听，竟转伤寒②，病势日重。余侍奉汤药，昼夜不交睫者几一月。吾妇芸娘亦大病，恹恹在床。心境恶劣，莫可名状。吾父呼余嘱之曰："我病恐不起，汝守数本书，终非糊口计，我托汝于盟弟蒋思斋，仍继吾业可耳。"越日，思斋来，即于榻前命拜为师。未几，得名医徐观莲先生诊治，父病渐痊。芸亦得徐力起床。而余则从此习幕③矣。此非快事，何记于此？曰：此抛书浪游之始，故记之。

[注释]

①辛丑：1781年。

②伤寒：因风寒侵入体内而引发的一种疾病。

③习幕：作幕僚，师爷。

[译文]

辛丑年秋八月，我父亲身患疟疾，回到家里，冷了要火，热了要冰，我劝他不要这样，他不听，结果转成了伤寒，病势一天比一天重。我端汤喂药，日夜不合眼，几乎有一个月。我媳妇芸娘也生了重病，虚弱地躺在床上。我当时心情之恶劣，难以用语言描述。我父亲把我喊到跟前叮嘱道："我这一病恐怕起不来了，你守着几本书，终究不是糊口的办法，我把你托付给盟弟蒋思斋，你仍继承我的事业就可以了。"第二天，蒋思斋来我家，父亲就在床前命我拜其为师。不久，得到名医徐观莲先生的诊治，父亲的病渐渐痊愈。芸也得到徐先生的医治可以起床了。我则从此学习游幕。这不是快乐的事情，为什么要记在这里？可以这样回答：这是我抛书浪游的开始，所以要记下来。

思斋先生名襄。是年冬，即相随习幕于奉贤①官舍。有同习幕者，顾姓，名金鉴，字鸿干，号紫霞，亦苏州人也。为人慷慨刚毅，直谅不阿②，长余一岁，呼之为兄。鸿干即毅然呼余为弟，倾心③相交。此余第一知交也，惜以二十二岁卒，余即落落④寡交，今年且四十有六矣，茫茫沧海，不知此生再遇知己如鸿干者否？

[注释]

①奉贤：在今上海奉贤区。

②直谅不阿：正直，坦诚。

③倾心：尽心，诚心。

④落落：孤独，不合群。

[译文]

蒋思斋先生名襄。这年冬天，我就跟随他在奉贤官舍学习游幕。有位一起学习游幕的同学，姓顾，名金鉴，字鸿干，号紫霞，也是苏州人。他为人慷慨刚毅，正直不阿，比我大一岁，我喊他为兄长。鸿干就毅然称我为弟，我们真诚交往。这是我第一个知己的朋友，可惜他二十二岁就去世了，我从此落落寡交。今年我已四十六岁了，茫茫沧海，不知道此生还能再遇到像鸿干这样的知己否？

忆与鸿干订交，襟怀高旷，时兴山居之想。重九日，余与鸿干俱在苏，有前辈王小侠与吾父稼夫公唤女伶演剧，宴客吾家。余患其扰，先一日约鸿干赴寒山①登高，借访他日结庐②之地，芸为整理小酒榼③。

[注释]

①寒山：即寒山寺，又名"枫桥寺"，在今苏州城西阊门外枫桥附近，始建于南朝。

②结庐：建房，盖房。
③酒榼（kē）：酒具。

[译文]

回想当初与鸿干交往的时候，胸怀高旷，时常产生山居的想法。重九日，我和鸿干都在苏州，有位叫王小侠的前辈和我父亲稼夫公喊女伶演戏，在我家宴请宾客。我不愿受打扰，就提前一天和鸿干约定到寒山登高，乘机寻访将来结庐的地方，芸帮我整理好酒具。

越日，天将晓，鸿干已登门相邀。遂携榼出胥门①，入面肆，各饱食。渡胥江，步至横塘枣市桥②，雇一叶扁舟，到山，日犹未午。舟子颇循良，令其籴③米煮饭。余两人上岸，先至中峰寺④。寺在支硎⑤古刹之南，循道而上。寺藏深树，山门寂静，地僻僧闲，见余两人不衫不履，不甚接待，余等志不在此，未深入。归舟，饭已熟。饭毕，舟子携榼相随，嘱其子守船，由寒山至高义园之白云精舍⑥。轩临峭壁，下凿小池，围以石树，一泓秋水，崖悬薜荔，墙积莓苔。坐轩下，惟闻落叶萧萧，悄无人迹。出门有一亭，嘱舟子坐此相候。余两人从石罅⑦中入，名"一线天"，循级盘旋，直造其巅，曰"上白云"，有庵已坍颓，存一危楼，仅可远眺。

[注释]

①胥门：在今苏州城西万年桥南。
②横塘：在今苏州市西南。枣市桥：跨胥江，已废，今重建，更名为蟠龙桥。
③籴（dí）：买。
④中峰寺：在今苏州高新区西部观音山。
⑤支硎：又名"报恩山"、"南峰山"，在今苏州西。

⑥高义园：在今苏州天平山南麓，始建于唐代，为宋范仲淹祠堂。白云精舍：即白云古刹，在高义园西，始建于唐代。

⑦罅（xià）：裂缝，缝隙。

[译文]

第二天，天快亮的时候，鸿干已经登门喊我了。我们便带着酒具从胥门出去，到面馆里，各自吃饱。渡过胥江，走到横塘枣市桥，雇一只小船，抵达寒山的时候，还没到中午。船夫颇为本分善良，就让他买米煮饭。我们两个人上岸，先到中峰寺。寺庙在支硎古刹的南面，顺着山路上去。寺庙隐藏在树林里，山门寂静，地点偏僻，僧人闲散，看到我们两个衣衫不整，就不怎么搭理，我们的目的不在此，也就没有往里走。回到船上，米饭已熟。吃完饭，船夫带着酒具跟随我们，吩咐他儿子看着船，我们从寒山走到高义园的白云精舍。其轩挨着峭壁，下面开凿了一个小池子，用石头、树木围着，里面一泓秋水，崖壁上挂着薜荔，墙上长满莓苔。我们坐在轩下，只听到落叶萧萧，悄无人迹。出门有一个亭子，我吩咐船夫坐在这里等着。我们两人从石缝里进去，这里名叫"一线天"。顺着台阶盘旋而上，一直登上顶端，此处叫"上白云"。上面有座庵，已经倒塌，残存一座危楼，仅能登上远眺。

小憩片刻，即相扶而下，舟子曰："登高忘携酒榼矣。"鸿干曰："我等之游，欲觅偕隐地耳，非专为登高也。"舟子曰："离此南行二三里，有上沙村，多人家，有隙地①，我有表戚范姓居是村，盍往一游？"余喜曰："此明末徐俟斋②先生隐居处也，有园闻极幽雅，从未一游。"于是舟子导往。村在两山夹道中，园依山而无石，老树多极纡回盘郁之势，亭榭窗栏，尽从朴素，竹篱茆舍③，不愧隐者之居。中有皂荚亭，树大可两抱。余所历园亭，此为第一。园左有山，俗呼鸡笼山④，山峰直竖，上加大石，如杭城之瑞石古洞，而不及其玲珑。旁一青石如榻，鸿干卧其上曰："此处仰观峰岭，俯视园亭，既旷且幽，可以开樽矣。"因拉舟子同饮，或歌或啸，大畅胸怀。土人知余等觅地而来，误以为堪舆⑤，以某处有好风水相告。鸿干曰："但期合意，不论风水。"（岂意竟成谶⑥语。）酒瓶既罄，各采野菊插满两鬓。

[注释]

①隙地：空地。

②徐俟斋：即徐枋（1622~1694），字昭法，号俟斋。吴县人。工诗善画。

③茆舍：茅草屋。

④鸡笼山：在今苏州天平山南。

⑤堪舆：风水。

⑥谶（chèn）：预言、预兆。

[译文]

休息了片刻，我们就相互搀扶着下来。船夫说："你们登高时忘记带酒具了。"鸿干说："我们游玩，是想寻找一起隐居的地方，不是专门为了登高。"船夫说："从这里往南走二三里，有个上沙村，有不少人家，有空地。我有个表亲姓范住在这个村里，何不过去一游？"我高兴地说："这里是明末徐俟斋先生隐居的地方，有座园子听说很幽雅，从来没有游玩过。"于是船夫领着我们过去。上沙村在两山夹道中，园子依山但没有石头，老树多呈曲折盘旋之势，亭榭窗栏都很朴素。竹篱草舍，不愧是隐者居住的地方。园中有座皂荚亭，树大得可让两个人合抱。在我所见过的园亭中，以这个地方最好。园子左边有座山，俗称鸡笼山，山峰直竖，上面有块大石，好像杭州城的瑞石古洞，但不如它玲珑精致。旁边有块青石像床一样，鸿干躺在上面说："从这里仰观峰岭，俯视园亭，既开阔又清幽，可以开怀畅饮了。"于是拉着船夫一起饮酒，大家或歌或啸，非常畅快。当地人知道我们是寻地而来，误以为我们来看风水，就以某处有好风水相告。鸿干回答道："但求合意，不管风水。"（岂料此话最后竟成为谶语。）酒瓶里的酒喝干了，大家各自采摘些野菊花，插满双鬓。

归舟，日已将没。更许抵家，客犹未散。芸私告余曰："女伶中有兰官者，端庄可取。"余假传母命，呼之入内，握其腕而睨①之，果丰颐白腻。余顾芸曰："美则美矣，终嫌名不称实。"芸曰："肥者有福相。"余曰："马嵬之祸，玉环之福安在?"②芸以他辞遣之出，谓余曰："今日君又大醉耶?"余乃历述所游，芸亦神往者久之。

[注释]

①睨（nì）：斜着眼睛看。
②马嵬之祸，玉环之福安在：玉环，即杨贵妃，深受唐玄宗宠爱。安史之乱期间，在四川马嵬坡被士兵缢死。

[译文]

坐船回来的时候，太阳快要落山了。我一更时分回到家里，客人还没有散。芸私下告诉我说："女伶中有个叫兰官的，端庄可取。"我假传母亲的话，把她喊进内室，握着她的手腕打量一番，见其果然丰满白腻。我看着芸说："虽然还算漂亮，终究觉得名不副实。"芸答道："胖人有福相。"我说："马嵬之祸，杨玉环的福在哪里呢?"芸找了个借口把她打发出去，对我说："今天你又喝得大醉吗?"我把自己游玩的经过详细讲给她听，芸也为之神往了很长时间。

癸卯①春，余从思斋先生就维扬②之聘，始见金、焦面目③。金山宜远观，焦山宜近视，惜余往来其间，未尝登眺。

［注释］

①癸卯：1783年。

②维扬：今江苏扬州。

③金：即金山，在今江苏镇江市西北，长江南岸。焦：即焦山，在今江苏镇江东长江中，因东汉末年焦光曾隐居于此，故名。

［译文］

癸卯年春天，我跟随思斋先生到扬州供职，这才见到金山、焦山的真面目。金山适合远观，焦山适合近看，可惜我往来其间，都没能登上去看看。

渡江而北，渔洋所谓"绿杨城郭是扬州"一语①，已活现矣。平山堂②离城约三、四里，行其途有八、九里，虽全是人工，而奇思幻想，点缀天然，即阆苑瑶池③、琼楼玉宇，谅不过此。其妙处在十余家之园亭合而为一，联络至山，气势俱贯。其最难位置处，出城入景，有一里许紧沿城郭。夫城缀于旷远重山间，方可入画，园林有此，蠢笨绝伦。而观其或亭或台，或墙或石，或竹或树，半隐半露间，使游人不觉其触目，此非胸有丘壑者断难下手。城尽，以虹园为首，折而向北，有石梁曰"虹桥"④，不知园以桥名乎？桥以园名乎？荡舟过，曰"长堤春柳"⑤，此景不缀城脚而缀于此，更见布置之妙。再折而西，垒土立庙，曰"小金山"⑥，有此一挡，便觉气势紧凑，亦非俗笔。闻此地本沙土，屡筑不成，用木排若干，层叠加土，费数万金乃成，若非商家，乌能如是？

［注释］

①渔洋：即王士禛（1634～1711），号渔洋山人。新城人。绿杨城郭是扬州：语出王士禛《浣溪沙·红桥》词。

②平山堂：在今扬州市西北大明寺内，始建于北宋。

③阆苑瑶池：神仙居住的地方。

④虹桥：在今扬州瘦西湖上。

⑤长堤春柳：虹桥至徐园前，有一长堤。东为湖水，西为花圃，路边三步一桃，五步一柳。此景人称"长堤春柳"。

⑥小金山：原名"长春岭"，本为扬州瘦西湖中的一个小岛。后清中叶为打通瘦西湖至大明寺水上通道，在瘦西湖西北开挖莲花埂新河，挖河之土堆成小山，就是今天的小金山。

[译文]

渡江向北，王渔洋所说的"绿杨城郭是扬州"一语已生动地展现在眼前。平山堂离扬州城约三四里，走过去路途有八九里，一路风景虽全是人工所成，但奇思幻想，点缀天然，就是阆苑瑶池、琼楼玉宇估计也不过如此。其妙处在于十多家的园亭合而为一，与山连为一体，气势贯通。其中最难处理的地方，是出城入景，有一里多长紧靠着城墙。城市分布在旷远的重山之间，才可以入画，园林处在这样的位置，真是蠢笨之极。但是看其亭子、楼台、墙壁、石头、竹子、树木等，都在半隐半露之间，让游人不觉得刺眼，这如果不是胸有丘壑之人是很难着手的。到了城市尽头，首先是虹园，转而向北，有座桥叫"虹桥"，不知是园子以桥为名，还是桥以园子为名？乘船经过，有个地方叫"长堤春柳"，此景不点缀在城脚而放在这里，更可见布置的妙处。再转向西，垒土建庙，叫"小金山"。有这么一挡，便觉得气势紧凑，也不是俗笔。听说这个地方本是沙土地，屡建不成，后来用了一些木排，一层木一层土，花费了几万两银子才建成，如果不是富商，哪能做到这些？

过此有胜概楼①，年年观竞渡于此。河面较宽，南北跨一莲花桥②，桥门通八面，桥面设五亭，扬人呼为"四盘一暖锅"，此思穷力竭之为，不甚可取。桥南有莲心寺，寺中突起喇嘛白塔，金顶缨络③，高矗云霄，殿角红墙，松柏掩映，钟磬时闻，此天下园亭所未有者。过桥，见三层高阁，画栋飞檐，五采绚烂，叠以太湖石，围以白石栏，名曰"五云多处"④，如作文中间之大结构也。过此名"蜀冈⑤朝旭"，平坦无奇，且属附会。将及山，河面渐束，堆土植竹树，作四、五曲。似已山穷水尽，而忽豁然开朗，平山之万松林已列于前矣。"平山堂"为欧阳文忠公所书。所谓淮东第五泉，真者在假山石洞中，不过一井耳，味与天泉同。其荷亭中之六孔铁井栏者，乃系假设，水不堪饮。九峰园⑥另在南门幽静处，别饶天趣，余以为诸园之冠。康山⑦未到，不识如何。此皆言其大概，其工巧处、精美处，不能尽述，大约宜以艳妆美人目之，不可作浣纱溪上观也。余适恭逢南巡盛典，各工告竣，敬演接驾点缀，因得畅其大观，亦人生难遇者也。

[注释]

①胜概楼：在今扬州瘦西湖莲花桥西。

②莲花桥：又称"五亭桥"，在今扬州瘦西湖上。

③缨络：由珠玉串成的装饰品。

④五云多处：清李斗《扬州画舫录》卷十五："熙春台在新河曲处，与莲花桥相对，白石为砌，围以石栏，中为露台。第一层横可跃马，纵可方轨，分中左右三阶皆城。第二层建方阁，上下三层。下一层额曰'熙春台'，联云：'碧瓦朱甍照城郭（杜甫），浅黄轻绿映楼台（刘禹锡）。'柱壁画云气，屏上画牡丹万朵。上一层旧额曰'小李将军画本'，王虚舟书，今额曰'五云多处'。"

⑤蜀冈：在今扬州西北。

⑥九峰园：在今扬州莲花池公园，园内有太湖九峰，乾隆巡游扬州时，御书"九峰园"额。

⑦康山：即康山草堂，为扬州盐商江春的府第。

[译文]

　　过了这里有座胜概楼，人们每年在此处观看龙舟竞渡。河面比较宽，南北向横跨着一座莲花桥。桥门通往八方，桥面上建有五座亭子，扬州人称其为"四盘一暖锅"。这是竭尽心思设计的，没有多少可取之处。桥南有座莲心寺。寺中耸立着一座喇嘛白塔，金顶缨络，高耸云霄，殿角红墙，松柏掩映，不时听到钟磬之声。这是天下其他园亭所没有的。过桥看到一座三层高楼，飞檐画栋，五彩绚烂，山用太湖石垒成，四周是白玉石栏杆，名叫"五云多处"。这如同写文章的大结构。过了这个地方名叫"蜀冈朝旭"，平坦无奇，属于牵强附会。快到山前，河面逐渐窄了起来，岸边堆土种上竹子，转了四五个弯。好像已经山穷水尽，却忽觉豁然开朗，平山的万松林已在眼前。"平山堂"三个字是欧阳文忠公所写。通常所说的淮东第五泉，真泉就在假山的石洞里，不过是一口井罢了，味道和雨水差不多。其荷亭里的六孔铁井栏，是假托的，水很难喝。九峰园另在南门的幽静之处，别具天趣。我认为它是这里各个园子中最好的。康山草堂我没有去，不知道情况如何。这些都只是说个大概，扬州各处风景工巧精美的地方，难以一一说完。大概适合将它视作浓妆艳抹的美人，而不能看成浣纱溪边不施粉黛的西施。我恰好赶上南巡盛典，各处工程告竣，演练有关接驾的布置安排，因而得以大饱眼福，这也是人生中难得的机遇。

　　甲辰①之春，余随侍吾父于吴江何明府幕中，与山阴章苹江、武林章映牧、苕溪顾霭泉诸公同事，恭办南斗圩行宫，得第二次瞻仰天颜②。一日，天将晚矣，忽动归兴。有办差小快船，双橹两桨，于太湖飞棹疾驰，吴俗呼为"出水辔头"③。转瞬已至吴门桥④，即跨鹤腾空，无此神爽。抵家，晚餐未熟也。吾乡素尚繁华，至此日之争奇夺胜，较昔尤奢。灯彩眩眸，笙歌聒耳，古人所谓"画栋雕甍"、"珠帘绣幕"、"玉栏干"、"锦步障"，不啻⑤过之。余为友人东拉西扯，助其插花结彩，闲则呼朋引类，剧饮狂歌，畅怀游览，少年豪兴，不倦不疲。苟生于盛世而仍居僻壤⑥，安得此游观哉？

[注释]

①甲辰：1784年。

②天颜：皇帝的容貌。

③辔头：驾驭牲口的嚼子和缰绳，这里借指牲口。

④吴门桥：在今苏州城南盘门口。

⑤啻（chì）：但，只，仅。

⑥僻壤：穷乡僻壤。

[译文]

甲辰年的春天，我跟随父亲在吴江何明府的幕中供职，和山阴的章苹江、武林的章映牧、苕溪的顾霭泉等诸位先生同事，一起料理南斗圩的行宫，得以第二次瞻仰圣颜。有一天，天快黑了，我忽然起了回家的念头。正好有只办理差事的小快船，双橹两桨，在太湖上飞速快行，吴地俗语称其为"出水辔头"。转眼间已经到了吴门桥。即便是跨鹤在空中飞行，也没有这样快。到家的时候，晚饭还没有做好。我家乡的人向来喜欢繁华，到南巡这一天大家争奇斗胜，比过去更为奢华。彩灯令人眼花缭乱，笙歌萦绕在耳边，古人所说的"画栋雕甍"、"珠帘绣幕"、"玉栏干"、"锦步障"等，也都不过如此。我被朋友们东拉西扯，帮他们插花结彩，闲暇的时候则呼朋引类，大家在一起畅饮狂歌，到各处尽情游览，少年豪兴，也不觉得疲倦。如果生在盛世却住在穷乡僻壤，哪能够看到这些呢？

是年，何明府因事被议，吾父即就海宁①王明府之聘。嘉兴有刘蕙阶者，长斋佞佛②，来拜吾父。其家在烟雨楼③侧，一阁临河，曰"水月居"，其诵经处也，洁净如僧舍。烟雨楼在镜湖④之中，四岸皆绿杨，惜无多竹。有平台可远眺，渔舟星列，漠漠平波，似宜月夜。衲子备素斋，甚佳。

[注释]

①海宁：在今浙江海宁市。

②佞佛：信奉佛教。

③烟雨楼：在今浙江嘉兴南湖湖心岛。始建于五代，楼名由诗人杜牧《江南春》中"南朝四百八十寺，多少楼台烟雨中"一句而来。

④镜湖：即今浙江嘉兴南湖。

[译文]

这一年，何明府因事被免官，我父亲就接受海宁王明府的聘请。嘉兴有位叫刘蕙阶的，吃斋信佛，他来拜访我父亲。他的家就在烟雨楼的旁边，其中有间房子临河，叫"水月居"，这是他念经的地方，整洁干净得像僧人的住处。烟雨楼在镜湖的中央，四边岸上都是绿杨，可惜竹子不多。有座平台可以远望，只见渔船如繁星般散布各处，水面平静，笼着一层薄雾，这更适合在月夜下观赏。僧人准备的素斋味道很好。

至海宁，与白门①史心月、山阴俞午桥同事。心月一子名烛衡，澄静缄默，彬彬儒雅，与余莫逆，此生平第二知心交也。惜萍水相逢，聚首无多日耳。游陈氏安澜园②，地占百亩，重楼复阁，夹道回廊。池甚广，桥作六曲形。石满藤萝，凿痕全掩。古木千章，皆有参天之势；鸟啼花落，如入深山。此人工而归于天然者。余所历平地之假石园亭，此为第一。曾于桂花楼中张宴，诸味尽为花气所夺，惟酱姜味不变。姜桂之性，老而愈辣，以喻忠节之臣，洵不虚也。

[注释]

①白门：今江苏南京。

②安澜园：原名"遂初园"、"隅园"，在今海宁盐官镇西北。乾隆南巡时，曾到此处，并赐名"安澜园"。

[译文]

到了海宁，和白门的史心月、山阴的俞午桥同事。史心月有一个儿子叫烛衡，澄静缄默，彬彬有礼，颇为儒雅，他和我关系很好，这是我生平的第二个知己。可惜萍水相逢，大家见面相聚的时间不多。我曾游览陈氏的安澜园，园子占地一百亩，重楼复阁，夹道回廊。园子里有座水池较大，桥呈六曲形。石头上爬满藤萝，雕凿的痕迹都被遮盖住了。园子里有很多古树，都有参天的气势。鸟啼花落，如同进入深山。这是人工所成而归于天然。我平生所见平地上的假石园亭，以此处为第一。曾在桂花楼里举行宴会，饭菜的味道都被花气掩盖了，只有酱姜的味道不变，姜桂的特性是越老越辣，拿来比喻忠节之臣，确实不虚此名。

出南门，即大海，一日两潮，如万丈银堤破海而过。船有迎潮者，潮至，反棹相向，于船头设一木招，状如长柄大刀。招一捺①，潮即分破，船即随招而入。俄顷始浮起，拨转船头，随潮而去，顷刻百里。塘上有塔院，中秋夜曾随吾父观潮于此。循塘东约三十里，名尖山②，一峰突起，扑入海中。山顶有阁，匾曰"海阔天空"，一望无际，但见怒涛接天而已。

[注释]

①捺：按。

②尖山：在今浙江海宁黄湾镇，是观潮胜地。

[译文]

出了南门，就是大海，一天两次涨潮，潮水如同万丈银堤，破海而过。船上有迎潮的人，等到潮水来的时候，把船桨反过来对着它，在船头设一个木招，形如长柄大刀，把木招一按，潮头即被分开，船随着木招进入，过了一会儿才漂浮起来，拨转船头，随着潮水驶去，顷刻间能行至上百里。塘上有座塔院，中秋夜的时候，我曾随着父亲在这里观潮。顺着水塘往东约三十里，有座山叫尖山，一峰突起，如同扑到海里。山顶上有座楼阁，匾额上写着"海阔天空"，从上面远眺，一望无际，只是看到怒涛接天而已。

余年二十有五，应徽州绩溪克明府之召①，由武林下江山船②，过富春山③，登子陵钓台④。台在山腰，一峰突起，离水十余丈。岂汉时之水竟与峰齐耶？月夜泊界口，有巡检署⑤，"山高月小，水落石出"⑥，此景宛然。黄山仅见其脚，惜未一瞻面目。绩溪城处于万山之中，弹丸小邑，民情淳朴。近城有石镜山⑦，由山弯中，曲折一里许，悬崖急湍，湿翠欲滴。渐高至山腰，有一方石亭，四面皆陡壁。亭左石削如屏，青色光润，可鉴人形，俗传能照前生。黄巢⑧至此，照为猿猴形，纵火焚之，故不复现。

[注释]

①徽州：清代在安徽设徽州府，辖区为南部数县。绩溪：今安徽绩溪县。

②江山船：又名"江山九姓船"。浙东游船的通称，一说为明清时期的妓船。

③富春山：又名"严陵山"。在今浙江桐庐县西，相传汉严子陵曾耕钓于此。

④子陵钓台：在今浙江桐庐县城南富春山麓，为富春江主要景点，据说严子陵隐居垂钓于此。

⑤巡检署：地方负责治安的机构。

⑥山高月小，水落石出：语出苏轼《后赤壁赋》。

⑦石镜山：又称"石照山"，在今安徽绩溪华阳镇东。

⑧黄巢（？~884）：唐末起义军首领。

[译文]

我二十五岁的时候，接受徽州绩溪克明府的聘请，从杭州坐江山船出发，途经富春山，登上子陵钓台。子陵钓台在山腰上，一峰突起，离水有十多丈，莫非汉代时的水位竟然与山峰一样高？月夜中，船只停泊在界口，那里有个巡检署。"山高月小，水落石出"，苏轼笔下的景色仿佛就在眼前。黄山仅能看到山脚，可惜未能瞻仰其真面目。绩溪城处在群山之中，弹丸小城，民俗淳朴。离城不远有座石镜山，顺着山往里拐，曲折行进一里左右，悬崖飞瀑，湿翠欲滴。逐渐登上高处，走到山腰，有一座方石亭，四面都是陡峭的石壁。亭子左边石削如屏，青色光润，可以照见人影，据说可以照见自己的前生。黄巢曾到这里，照见自己是猿猴的形貌，放火烧了这里，故此就不能再照人了。

离城十里，有火云洞天，石纹盘结，凹凸巉岩，如黄鹤山樵①笔意，而杂乱无章。洞石皆深绛色，旁有一庵，甚幽静，盐商程虚谷曾招游设宴于此。席中有肉馒头②，小沙弥眈眈旁视，授以四枚。临行以番银二圆为酬，山僧不识，推不受。告以一枚可易青钱③七百余文，僧以近无易处，仍不受。乃攒凑青蚨六百文付之，始欣然作谢。他日，余邀同人携榼再往，老僧嘱曰："曩者④小徒不知食何物而腹泻，今勿再与。"可知藜、藿之腹⑤，不受肉味，良可叹也。余谓同人曰："作和尚者，必居此等僻地，终身不见不闻，或可修真养静。若吾乡之虎丘山，终日目所见者妖童艳妓，耳所听者弦索笙歌，鼻所闻者佳肴美酒，安得身如枯木，心如死灰哉？"

[注释]

①黄鹤山樵：王蒙（1308~1385），字叔明，号黄鹤山樵，吴兴人。善画山水。

②肉馒头：一种带肉馅的包子。

③青钱：青铜钱。

④曩者：先前，过去。

⑤藜、藿：野菜，这里指粗劣的饭菜。

[译文]

离城十里有座火云洞天，那里石纹盘结，巉岩错落，如同黄鹤山樵笔下的山水画，但显得杂乱无章。洞里的石头都是深红色，旁边有座庙，很是幽静，盐商程虚谷曾在这里招游设宴。宴席上摆有肉馒头，小沙弥在旁边虎视眈眈，就给了他四枚。临走的时候给了两块番洋酬谢。僧人不认识番银，推辞不要，告诉他一块番银可以换青铜钱七百多文，僧人因近处没有兑换的地方，还是不要。于是大家一起凑了六百文钱给他，他这才欣然称谢。过了一些日子，我邀请同仁带着酒菜再去，老和尚吩咐我说："先前小徒不知道吃了什么东西，结果腹泻，今天不要再给他了。"可见吃野菜的肚子，受不了肉味，真是让人感叹啊。我对同仁说："当和尚，一定要住在这种偏僻的地方，终身不见不闻，或许可以修真养静。若是像我家乡的虎丘山，整天眼里看到的是妖童艳妓，耳中听到的是弦索笙歌，鼻子闻到的是佳肴美酒，哪能身如枯木，心如死灰呢？"

又去城三十里，名曰仁里①，有花果会，十二年一举，每举各出盆花为赛。余在绩溪，适逢其会，欣然欲往，苦无轿马。乃教以断竹为杠，缚椅为轿，雇人肩之而去，同游者惟同事许策廷，见者无不讶笑。至其地，有庙，不知供何神。庙前旷处高搭戏台，画梁方柱，极其巍焕②，近视则纸扎彩画，抹以油漆者。

锣声忽至，四人抬对烛，大如断柱；八人抬一猪，大若牯牛，盖公养十二年，始宰以献神。策廷笑曰："猪固寿长，神亦齿利。我若为神，乌能享此？"余曰："亦足见其愚诚也。"入庙，殿廊轩院所设花果盆玩，并不剪枝拗节，尽以苍老古怪为佳，大半皆黄山松。既而开场演剧，人如潮涌而至，余与策廷遂避去。未两载，余与同事不合，拂衣③归里。

[注释]

①仁里：在今安徽绩溪瀛洲乡。

②巍焕：高大，壮观。

③拂衣：挥动衣服，表示情绪激动或愤激。

[译文]

离城三十里，有个地方叫仁里，那里有花果会，每十二年举办一次，每次举办的时候，大家各自拿出盆中所养之花进行比赛。我在绩溪，正赶上花果会，便欣然去看，但苦于没有轿子、马匹，于是让人用断竹为杠子，绑张椅子为轿子，雇人抬着过去。同去游览的只有同事许策廷，人们看到我，无不惊讶发笑。到了这里，看到有座庙，不知道供奉的是什么神。庙前空旷处搭了一座戏台，画梁方柱，非常壮观，到近处一看原来是纸扎彩画，在外面抹上油漆。锣声忽然传来，四个人抬着一对蜡烛，粗得像根断柱。八个人抬着一头猪，大的像头牛。据说是大家公养十二年，才宰杀了来献神。许策廷笑道："猪固然寿命长，神仙也是牙齿锋利。我若是神仙，哪能享受得了？"我说："由此也可见本地人的愚昧和虔诚。"到了庙里，殿廊轩院所摆设的花果盆玩，并不剪枝去节，都是以苍老古怪为佳，大半是黄山松。既而开场演戏，人们如潮水般蜂拥而至。我和许策廷随即避开。不到两年，我因和同事合不来，拂袖而去，回到家乡。

余自绩溪之游,见热闹场中卑鄙之状不堪入目,因易儒为贾。余有姑丈袁万九,在盘溪①之仙人塘作酿酒生涯,余与施心耕附资合伙。袁酒本海贩,不一载,值台湾林爽文②之乱,海道阻隔,货积本折,不得已,仍为冯妇③。馆江北四年,一无快游可记。

[注释]

①盘溪:在今浙江缙云县舒洪镇。

②林爽文(1757~1788):福建平和人。乾隆五十一年(1786)在台湾率众起义,后失败就义。

③冯妇:指重操旧业。

[译文]

我从绩溪游幕之后,看到热闹场中种种不堪入目的卑鄙行径,于是易儒为贾。我有个姑父叫袁万九,在盘溪仙人塘做酿酒生意,我便和施心耕出钱入伙。袁万九的酒本是从海路贩卖,不到一年,正赶上台湾林爽文叛乱,海路中断,货物积压,本钱亏损,没有办法,只得重操旧业。到江北坐馆四年,没有什么快游可记。

迨居萧爽楼,正作烟火神仙,有表妹倩徐秀峰自粤东归,见余闲居,慨然曰:"足下待露而爨,笔耕而炊,终非久计,盍偕我作岭南游?当不仅获蝇头利①也。"芸亦劝余曰:"乘此老亲尚健,子尚壮年,与其商柴计米而寻欢,不如一劳而永逸。"余乃商诸交游者,集资作本。芸亦自办绣货及岭南所无之苏酒、醉蟹②等物。禀知堂上,于小春③十日,偕秀峰由东坝出芜湖口④。

[注释]

①蝇头利:微利,小利。

②醉蟹:一种用活蟹及酒等佐料制作的风味小吃。

③小春:农历十月。

④东坝：在今江苏高淳东坝镇。芜湖：在今安徽芜湖市。

[译文]

后来住到萧爽楼，正在做烟火神仙，有位叫徐秀峰的表妹女婿从粤东回来，看到我在家闲居，慨然说道："你靠天吃饭，靠笔耕生活，终究不是长久之计，何不和我一起到岭南游览？得到的应当不只是蝇头小利。"芸也劝我说："趁着双亲健在，你还在壮年，与其每天计算柴米来寻欢，不如一劳永逸。"我于是和朋友们商量，大家集资给我做本钱。芸也亲自置办了一些绣货以及岭南没有的苏酒、醉蟹等物品。禀告父母之后，我于十月十日，和徐秀峰一起从东坝出芜湖口。

长江初历，大畅襟怀。每晚舟泊后，必小酌船头。见捕鱼者罾幂①不满三尺，孔大约有四寸，铁箍四角，似取易沉。余笑曰："圣人之教，虽曰'罟不用数'②，而如此之大孔小罾，焉能有获？"秀峰曰："此专为网鳊③鱼设也。"见其系以长绠，忽起忽落，似探鱼之有无。未几，急挽出水，已有鳊鱼枷罾孔而起矣。余始喟然曰："可知一己之见，未可测其奥妙。"一日，见江心中一峰突起，四无依倚。秀峰曰："此小孤山④也。"霜林中，殿阁参差。乘风径过，惜未一游。

[注释]

①罾幂（zēng mì）：渔网。

②罟（gǔ）不用数：典出《孟子·梁惠王上》："数罟不入洿池，鱼鳖不可胜食也。"罟，渔网。数，密集、细密。

③鳊（biān）：鱼名。一种淡水鱼。

④小孤山：又名"髻山"、"小姑山"，在今安徽宿松县城东南长江中。

[译文]

第一次游览长江，感到非常畅快。每天晚上船只停泊之后，必定在船头小酌。看到捕鱼人所用的渔网不到三尺大，网眼却大约有四寸，用铁箍上四个角，看着轻但拿起来重。我笑着说："圣人设教，虽然说'罟不用数'，但像这样孔大网小，哪能有什么收获？"秀峰答道："这是专门为捕鳊鱼设计的。"只见这种网用长绳系着，忽起忽落，好像在试探是否有鱼。不一会儿，急忙拉出水面，已经有鳊鱼卡在网孔上了。我这才感叹道："由此可知我不过是一己之见，并不能了解其中的奥妙。"一天，看到江心中一座奇峰突起，四周并无凭依。秀峰说："这是小孤山。"只见霜林中，殿阁错落。船只乘风而过，可惜未能上去游览。

至滕王阁①，犹吾苏府学之尊经阁②移于胥门之大马头，王子安序③中所云不足信也。即于阁下换高尾昂首船，名"三板子"，由赣关至南安登陆④。值余三十诞辰，秀峰备面为寿。越日，过大庾岭⑤。山巅一亭，匾曰"举头日近"，言其高也。山头分为二，两边峭壁，中留一道如石巷。口列两碑，一曰"急流勇退"，一曰"得意不可再往"。山顶有梅将军祠，未考为何朝人。所谓岭上梅花，并无一树，意者以梅将军得名梅岭耶？余所带送礼盆梅，至此将交腊月，已花落而叶黄矣。过岭出口，山川风物便觉顿殊。岭西一山，石窍玲珑，已忘其名，舆夫曰："中有仙人床榻。"匆匆竟过，以未得游为怅。至南雄⑥，雇老龙船，过佛山⑦镇，见人家墙顶多列盆花，叶如冬青，花如牡丹，有大红、粉白、粉红三种，盖山茶花也。

[注释]

①滕王阁：在今江西南昌市西北，赣江东岸，与湖北黄鹤楼、湖南岳阳楼并称"江南三大名楼"。

②尊经阁：在今江苏苏州中学内，始建于北宋，为府学藏书之所。今已废。

③王子安序：即王勃《滕王阁序》。王勃（650~676），字子安。绛州龙门人。唐代诗人。

④赣关：在今江西赣县，明清时期当地征收关税的机构。南安：在今江西大余县南安镇。

⑤大庾岭：又称"庾岭"、"台岭"、"梅岭"、"东峤山"，位于江西、广东交界处，五岭之一。

⑥南雄：在今广东南雄市。

⑦佛山：在今广东佛山市。

[译文]

到了滕王阁，发现这里好像是把苏州府学的尊经阁移到胥门的大马头上，王子安《滕王阁序》中所说的不足为信。我们在滕王阁下换乘一种高尾昂首的船，叫"三板子"，由赣关到南安登陆。当时正赶上我三十岁生日，秀峰准备了寿面为我庆贺。第二天，经过大庾岭，山顶上有座亭子，匾额上写着"举头日近"，意思是说山峰很高。山头分为两个，两边是峭壁，中间留一条小道，像石巷一样。道口立着两块石碑，一块写着"急流勇退"，一块写着"得意不可再往"。山顶上有座梅将军祠，未能考出是什么朝代的人。所谓的岭上梅花，并没有见到一棵梅树，推测可能是因梅将军的缘故才得名梅岭的吧。我所携带送礼的盆梅，到了这里将近腊月，已经花落叶黄。过了大庾岭出关口，沿途看到的山川风物，明显和先前不一样。岭西有座山，石洞精巧玲珑，已忘了它的名字，车夫说："洞中有仙人的床榻。"匆匆经过，未能游览，心里感到很遗憾。到了南雄，雇了只老龙船。经过佛山镇，看到人家墙顶上多摆设盆花，叶子如冬青，花朵如牡丹，有大红、粉白、粉红三种，大概是山茶花吧。

腊月望，始抵省城，寓靖海门①内，赁王姓临街楼屋三椽。

秀峰货物皆销与当道，余亦随其开单拜客，即有配礼者，络绎取货，不旬日而余物已尽。除夕蚊声如雷。岁朝贺节，有棉袍、纱套者。不惟气候迥别，即土著人物，同一五官，而神情迥异。

[注释]

①靖海门：在今广州市越秀区，为旧城城门，今已废。

[译文]

腊月十五，我们才抵达省城，住在靖海门内，租了一个姓王的三间临街楼房。秀峰的货物都卖给了官府的人，我也跟着他开单拜客，随即有配礼的人，络绎不绝地来取货，不到十天货物就已经卖完了。除夕的时候，这里蚊声如雷。春节贺岁，有穿着棉袍、纱套的。不光气候和内地迥然不同，即便是当地居民，同样长有五官，但神情明显不同。

正月既望，有署中同乡三友拉余游河观妓，名曰"打水围"，妓名"老举"。于是同出靖海门，下小艇（如剖分之半蛋而加篷焉），先至沙面①。妓船名"花艇"，皆对头分排，中留水巷，以通小艇往来。每帮约一、二十号，横木绑定，以防海风。两船之间，钉以木桩，套以藤圈，以便随潮长落。鸨儿呼为"梳头婆"，头用银丝为架，高约四寸许，空其中而蟠②发于外，以长耳挖③插一朵花于鬓，身披元青④短袄，著元青长裤，管拖脚背，腰束汗巾，或红或绿，赤足撒鞋，式如梨园旦脚。登其艇，即躬身笑迎，搴⑤帏入舱。旁列椅杌，中设大炕，一门通艄后。妇呼有客，即闻履声杂沓而出，有挽髻者，有盘辫者，傅粉如粉墙，搽脂如榴火，或红袄绿裤，或绿袄红裤，有著短袜而撮绣花蝴蝶履者，有赤足而套银脚镯者，或蹲于炕，或倚于门，双瞳闪闪，一言不发。余顾秀峰曰："此何为者也？"秀峰曰："目成之后，招之始相就耳。"余试招之，果即欢容至前，袖出槟榔⑥为敬。入口大嚼，涩不可耐，急吐之。以纸擦唇，其吐如血，合艇皆大笑。

[注释]

①沙面：在今广州市荔湾区人民桥西。

②蟠：盘曲，盘结。

③长耳挖：即长耳挖簪，为女性头饰，兼能挖耳。清林苏门《邗江三百吟·长耳挖》："此即俗名一丈青也。金银不一，妇女头上斜插之。"

④元青：深黑色。

⑤搴（qiān）：撩起，掀起。

⑥槟榔：一种常绿乔木的果实，可以吃，也可药用。

[译文]

正月十六，在官府供职的三位同乡好友拉着我们去游河观妓，名叫"打水围"，妓女叫"老举"。于是大家一起出了靖海门，下到小船上（这种小船像分开的半个鸡蛋，上面加了一个船篷）。我们先到沙面，妓女的船叫"花艇"，都是两两相对排列，中间留出水巷，以便小船往来。每一帮约一二十只船，用横木绑牢固，以防海风。两船之间，钉上木桩，套上藤圈，以便随着潮水涨落。老鸨被称作"梳头婆"，头上用银丝为架，高约四寸，中间留空，头发盘到外面，用长耳挖簪在鬓角插一朵花，身披深黑色短袄，下穿深黑色长裤，裤管拖到脚背上，腰间系一条汗巾，或红或绿，光脚穿着拖鞋，样式像梨园的旦脚。登上小船，她即躬身笑迎，掀开帘子让客人进入船舱。舱内旁边摆着桌椅，中间放一张大炕，有个门通往船后。老鸨一喊有客人，就听到有纷乱的脚步声，妓女们相继走出来。有挽着发髻的，有盘着辫子的。香粉涂得厚如墙壁，胭脂抹得像石榴花那么红。有的红袄绿裤，有的绿袄红裤，有穿着短袜拖着绣花蝴蝶鞋的，有光脚套着银脚镯的，或蹲在炕上，或靠在门边，两眼闪动着，一言不发。我回过头问秀峰："她们这是要干什么呢?"秀峰答道:"用眼看中之后,喊她她就会过来相就。"我试着喊了一个,那位果然满脸笑容地来到我跟前,拿出槟榔以表敬意。我把槟榔放到嘴里大嚼,感到苦涩难忍,急忙吐了出来。用纸擦拭嘴唇,吐出的东西像血一样红。全船的人都大笑起来。

又到军工厂,妆束亦相等,惟长幼皆能琵琶而已。与之言,对曰"咪"。"咪"者,"何"也。余曰:"少不入广者,以其销魂耳,若此野妆蛮语,谁为动心哉?"一友曰:"潮帮妆束如仙,可往一游。"至其帮,排舟亦如沙面。有著名鸨儿素娘者,妆束如花鼓妇。其粉头①衣皆长领,颈套项锁,前发齐眉,后发垂肩,中挽一鬏似丫髻②,裹足者著裙,不裹足者短袜,亦著蝴蝶履,长拖裤管,语音可辨。而余终嫌为异服,兴趣索然。秀峰曰:"靖海门对渡有扬帮,皆吴妆,君往,必有合意者。"一友曰:"所谓扬帮者,仅一鸨儿,呼曰邵寡妇,携一媳曰大姑,系来自扬州,余皆湖广、江西人也。"

因至扬帮,对面两排仅十余艇,其中人物皆云鬟雾鬓,脂粉薄施,阔袖长裙,语音了了③,所谓邵寡妇者殷勤相接。遂有一友另唤酒船,大者曰"恒艛④",小者曰"沙姑艇",作东道相邀,请余择妓。余择一雏年者,身材状貌,有类余妇芸娘,而足极尖细,名喜儿。秀峰唤一妓,名翠姑。余皆各有旧交。放艇中流,开怀畅饮。至更许,余恐不能自持,坚欲回寓,而城已下钥久矣。盖海疆之城,日落即闭,余不知也。

[注释]

①粉头:妓女。

②鬏:女性头发盘成的结。丫髻:梳在头两边的发髻。

③了了:清楚,明白。

④艛(lóu):一种有楼的大船。

[译文]

我们又来到军工厂，这里妓女们的装束和刚才所见到的相同，只是不管长幼都能弹琵琶而已。和她们说话，她们答道："咪。""咪"就是什么的意思。我说："少不入广，是因为销魂的缘故，像这样的野装蛮语，谁会为她们动心呢？"一个朋友说："潮帮的装束像神仙一样，可以过去一游。"到了潮帮，小船的排列也同沙面一样。有位知名的老鸨叫素娘，装束得像唱花鼓的妇女。她手下的妓女都穿着长领衣服，脖子上带着项锁，前面的头发齐眉，后面的头发垂肩，中间挽着一个发髻，像丫字形的发髻，裹脚的穿着裙子，不裹脚的穿着短袜，也穿蝴蝶鞋，拖着长裤管，语音可以听明白一些。我始终嫌她们穿着异服，没什么兴趣。秀峰说："靖海门对面有个扬帮，都是吴地的装束。你去，必定有合意的。"一个朋友说："所谓的扬帮，仅一个人称'邵寡妇'的老鸨带着一个叫大姑的媳妇是来自扬州，其他的都是湖广、江西人。"

于是来到扬帮，对面两排只有十来只船，里面的人都云鬟雾鬓，脂粉薄施，阔袖长裙，语音能听明白。人们所说的那位邵寡妇殷勤地迎接我们。有个朋友另叫了一只酒船，大的叫"恒艒"，小的叫"沙姑艇"，他做东请客，请我选一个妓女。我选了一个年龄小的，其身材形貌有些像我的媳妇芸娘，她的脚非常尖细，名叫喜儿。秀峰喊了一个妓女名叫翠姑。其他的人各自有旧交。放船到河中间，大家开怀畅饮。到一更时分，我担心自己不能自持，坚决要求回寓所，但城门已经关闭很久了。海疆之城，日落就关门，但我不知道这些。

及终席，有卧而吃鸦片烟者，有拥妓而调笑者，伻头①各送衾枕至，行将连床开铺。余暗询喜儿："汝本艇可卧否？"对曰："有寮可居，未知有客否也。"（寮者，船顶之楼。）余曰："姑往探之。"招小艇,渡至邵船,但见合帮灯火,相对如长廊,寮适无客。鸨儿笑迎曰:"我知今日贵客来,故留寮以相待也。"余笑曰:"姥真荷叶下仙人哉。"遂有伻头移烛相引,由舱后梯而登。宛如斗室,旁一长榻,几案俱备。揭帘再进,即在头舱之顶,床亦旁设,中间方窗,嵌以玻璃,不火而光满一室,盖对船之灯光也。衾帐镜奁,颇极华美。

[注释]

① 伻(bēng)头:仆人。

[译文]

酒席结束的时候,有躺在那里吃鸦片烟的,有搂着妓女调笑的,仆人分别把被子、枕头送来,准备铺床。我悄悄地问喜儿:"你自己的船可以睡吗?"她答道:"有寮可以住,只是不知道是否有客人在。"(所谓寮,就是船顶的阁楼。)我说:"姑且去看看。"喊了只小船,划到邵氏的船边,只见合帮灯火排列在两边,如同长廊,寮内正好没有客人。老鸨笑着迎接道:"我就知道今天有贵客来,特意留下寮来等着您呢。"我笑道:"您老人家真是荷叶下的仙人啊。"随即有个仆人拿着蜡烛带路,我们从舱后面的梯子登上去。里面像一间小房子,旁边一张床,几案齐备。揭开帘子再往里走,即在头舱的顶上,床也放在旁边,中间有一个方形窗户,镶嵌着玻璃,即使不点灯,满室内也很亮堂,这是对面船上的灯光照来的。里面的衾帐镜奁,都很华美。

喜儿曰:"从台可以望月。"即在梯门之上,叠开一窗,蛇行而出,即后艄之顶也。三面皆设短栏,一轮明月,水阔天空。纵横如乱叶浮水者,酒船也;闪烁如繁星列天者,酒船之灯也。更有小艇梭织往来,笙歌弦索之声,杂以长潮之沸,令人情为之移。余曰:"少不入广,当在斯矣。"惜余妇芸娘不能偕游至此,回顾喜儿，月下依稀相似，因挽之下台，息烛而卧。天将晓，秀峰等已哄然至，余披衣起迎，皆责以昨晚之逃。余曰："无他，恐公等掀衾揭帐耳。"遂同归寓。

[译文]

喜儿说："从台上可以望见月亮。"就在梯门上面，推开了一扇窗户，我们从里面像蛇一样爬出来，即到船后的顶上。这里三面都设有短栏杆，一轮明月，水阔天空，那些纵横像乱叶漂在水面的，是酒船；那些闪烁如天上繁星的，是酒船的灯光。更有小船穿梭往来，笙歌弦索之音，夹杂着涨潮的声响，让人情动神移。我说："少不入广，应当指的是这里了。"可惜我媳妇芸娘不能一起到这里游览，回过头来看着喜儿，在月光下依稀相似。于是挽着她走下平台，熄灭蜡烛睡觉。天快亮的时候，秀峰等人哄然来到，我披上衣服起来迎接，他们都指责我昨天晚上逃跑。我说："没有什么，担心你们掀被揭帐罢了。"于是大家一起回寓所。

越数日，偕秀峰游海珠寺①。寺在水中，围墙若城，四周离水五尺许，有洞，设大炮以防海寇。潮长潮落，随水浮沉，不觉炮门之或高或下，亦物理②之不可测者。十三洋行在幽兰门之西③，结构与洋画同。对渡名花地④，花木甚繁，广州卖花处也。余自以为无花不识，至此仅识十之六、七，询其名，有《群芳谱》⑤所未载者，或土音之不同欤？

海幢寺规模极大，山门内植榕树，大可十余抱，阴浓如盖，秋冬不凋。柱槛窗栏，皆以铁梨木为之。有菩提树，其叶似柿，浸水去皮，肉筋细如蝉翼纱，可裱小册写经。

[注释]

①海珠寺：又名"慈度寺"，在今广州市人民大厦至省总工会一带。原在海珠岛上，后岛与陆地相连，今已废。

②物理：事物的道理、规律。

③十三洋行：清代官方特许在广州设立的对外贸易区。幽兰门：又称油栏门，在今广州海珠南路。

④花地：在今广州芳村区花地湾。

⑤《群芳谱》：全名《二如亭群芳谱》，明王象晋著，记载各类植物400多种。

[译文]

过了几天，我和秀峰一起游览海珠寺。海珠寺在水中，周围都是墙，像城市一样，四周离水有五尺左右，中间有洞，架设大炮以抵御海盗。潮涨潮落，随着水沉浮，感觉不到炮口的升高或下降，这也是物理的不可测之处。十三洋行在幽兰门的西面，房屋结构和洋画里所画的相同。对岸叫花地，花木非常茂盛，是广州卖花的地方。我自认为没有不认识的花，到这里才认识十分之六七，问其名字，有的连《群芳谱》都没有记载，或许是土音发音不同的缘故吧。

海幢寺规模很大，山门内种的榕树，大的有十多抱，树荫浓密如盖，秋冬时节不凋谢。其柱槛窗栏，都是用铁梨木做成的。种有菩提树，树叶像柿子，泡在水里去皮，它的肉筋细得像蝉翼纱，可以装裱成小册子来抄写佛经。

归途访喜儿于花艇，适翠、喜二妓俱无客。茶罢欲行，挽留再三。余所属意在寮，而其媳大姑已有酒客在上，因谓邵鸨儿曰："若可同往寓中，则不妨一叙。"邵曰："可。"秀峰先归，嘱从者整理酒肴。余携翠、喜至寓。正谈笑间，适郡署王懋老不期而来①，挽之同饮。

[注释]

①郡署：广州官署。不期：没有约定。

第四卷 浪游记快 147

[译文]

回来的路上我们到花艇去找喜儿,恰好翠姑、喜儿两人都没接客。我们喝完茶要走,她们再三挽留。我中意的地方是寮,但邵寡妇的媳妇大姑已有酒客在上面,因此对邵老鸨说:"若是可以一起到我们寓所,则不妨一叙。"邵氏说:"可以。"秀峰先回去,嘱咐随从准备酒菜。我带着翠姑、喜儿到寓所。正在谈笑的时候,恰好郡署的王懋老不请自到,就让他留下来一起饮酒。

酒将沾唇,忽闻楼下人声嘈杂,似有上楼之势,盖房东一侄素无赖,知余招妓,故引人图诈耳。秀峰怨曰:"此皆三白一时高兴,不合我亦从之。"余曰:"事已至此,应速思退兵之计,非斗口时也。"懋老曰:"我当先下说之。"

[译文]

酒正要沾唇,忽然听到楼下人声嘈杂,似乎有要上楼的架势,原来房东有个侄子平素无赖,得知我招妓,故意带人图谋敲诈。秀峰埋怨道:"这都是三白一时高兴,我不该也跟着他。"我说:"事已至此,应该快点想出退兵之计,现在不是斗嘴的时候。"懋老说:"我先下去劝说他们。"

余念唤仆速雇两轿,先脱两妓,再图出城之策。闻懋老说之不退,亦不上楼。两轿已备,余仆手足颇捷,令其向前开路,秀挽翠姑继之,余挽喜儿于后,一哄而上。秀峰、翠姑得仆力,已出门去。喜儿为横手所拿,余急起腿,中其臂,手一松而喜儿脱去,余亦乘势脱身出。余仆犹守于门,以防追抢。急问之曰:"见喜儿否?"仆曰:"翠姑已乘轿去,喜儿但见其出,未见其乘轿也。"余急燃炬,见空轿犹在路旁。

[译文]

我随即喊仆人赶快雇两顶轿子,让两个妓女先逃走,然后再想出城的办法。听到懋老劝不退他们,他们也没有上楼。此时两顶轿子已准备好,我的仆人手脚颇为敏捷,就让他在前边开路,秀峰手挽翠姑跟着,我挽着喜儿走在后面,大家一哄而上。秀峰、翠姑得到仆人的帮助,已经出门走了,喜儿却被横过来的手抓住,我急忙抬起腿,踢中那人的手臂,那人手一松,喜儿逃脱了,我也乘势脱身而出。我的仆人还守在门口,以防他们追抢。我急忙问他:"你看见喜儿了吗?"仆人答道:"翠姑已乘轿子离开,喜儿只见出来,还没见她乘轿。"我急忙点上火炬,看见空轿还在路边等着。

急追至靖海门,见秀峰侍翠轿而立,又问之,对曰:"或应投东,而反奔西矣。"急反身,过寓十余家,闻暗处有唤余者,烛之,喜儿也。遂纳之轿,肩而行。秀峰亦奔至,曰:"幽兰门有水窦①可出,已托人贿之启钥,翠姑去矣,喜儿速往。"余曰:"君速回寓退兵,翠、喜交我。"

[注释]

①窦(dòu):孔,洞。

[译文]

我急忙追到靖海门,只见秀峰站在翠姑的轿子旁,又问他,他答道:"也许应该往东走,反而奔往西面了。"我急忙返身,走过我住的寓所十多家,听到暗处有人喊我,用烛光一照,正是喜儿,于是把她送到轿子里,和她并肩而行。秀峰也赶了过来,说:"幽兰门有个水洞可以出去,我已托人行贿开锁,翠姑已经走了,喜儿赶快过去。"我说:"你快点回寓所退兵,翠姑、喜儿交给我。"

至水窦边,果已启钥,翠先在。余遂左掖喜,右挽翠,折腰①鹤步,踉跄出窦。天适微雨,路滑如油,至河干沙面,笙歌正盛。小艇有识翠姑者,招呼登舟。始见喜儿,首如飞蓬②,钗环俱无有。余曰:"被抢去耶?"喜儿笑曰:"闻此皆赤金,阿母物也。妾于下楼时已除去,藏于囊中。若被抢去,累君赔偿耶。"余闻言,心甚德之,令其重整钗环,勿告阿母,托言寓所人杂,故仍归舟耳。翠姑如言告母,并曰:"酒菜已饱,备粥可也。"

[注释]

①折腰:弯着腰。
②飞蓬:乱草。

[译文]

来到水洞边,果然已经开了锁,翠姑先到这里。我左边夹着喜儿,右边挽着翠姑,弯腰鹤步,踉跄着出了水洞。当时天正下着小雨,路面光滑,像涂了油,到了河岸沙面,那里笙歌正盛。小艇上有认识翠姑的,便招呼她上了船。我这才看到喜儿的头发像乱草一样,钗环都没有了。我问道:"它们都被抢去了吗?"喜儿笑着说:"听说这些都是纯金做的,是阿母的物品。我在下楼的时候就已摘了下来,藏在包里。若是被抢走的话,要连累你赔偿啊。"我听了这些话,心里很是敬重她,让她重新整理钗环,不要告诉阿母,只借口说寓所人杂,所以仍旧回到船上。翠姑按照我教的话禀告阿母,并且说:"酒菜已饱,准备些粥就可以了。"

时寮上酒客已去,邵鸨儿命翠亦陪余登寮。见两对绣鞋,泥污已透。三人共粥,聊以充饥。剪烛絮谈①,始悉翠籍湖南,喜亦豫产,本姓欧阳,父亡母醮②,为恶叔所卖。翠姑告以迎新送旧之苦:心不欢必强笑,酒不胜必强饮,身不快必强陪,喉不爽必强歌。更有乖张其性者,稍不合意,即掷酒翻案,大声辱骂,假母不察，反言接待不周。又有恶客彻夜蹂躏，不堪其扰。喜儿年轻初到，母犹惜之。不觉泪随言落。喜儿亦嘿然涕泣。余乃挽喜入怀，抚慰之。嘱翠姑卧于外榻，盖因秀峰交也。

［注释］

①絮谈：闲聊，闲谈。

②醮（jiào）：再嫁，改嫁。

［译文］

这时寮上的酒客已经离开，邵老鸨让翠姑也陪着我来到寮里。只见两人的绣鞋都已被泥污湿透。我们三人一起喝粥，聊以充饥。饭后剪烛闲聊，才知道翠姑是湖南人，喜儿是河南人，本姓欧阳，父亲去世后，母亲改嫁，她被恶叔卖掉。翠姑向我诉说迎新送旧的痛苦：心里不高兴也一定要强作笑脸，酒量不行也一定要硬喝，身体不舒服也一定要强陪，喉咙不爽也一定要硬唱。更有那种性格乖僻的人，稍微不合意，就扔了酒杯，掀翻桌子，大声辱骂，假母不了解，反而说自己接待不周。又有恶客彻夜蹂躏，不堪其扰。喜儿年轻初到，假母还怜惜她。说到这里，翠姑不禁泪随言落，喜儿也默默地哭泣。我把喜儿拥入怀里，安慰她。吩咐翠姑睡在外面的床上，因为她是秀峰交往的人。

自此，或十日，或五日，必遣人来招，喜或自放小艇，亲至河干迎接。余每去，必偕秀峰，不邀他客，不另放艇。一夕之欢，番银四圆而已。秀峰今翠明红，俗谓之跳槽，甚至一招两妓。余则惟喜儿一人，偶然独往，或小酌于平台，或清谈于寮内，不令唱歌，不强多饮，温存体恤，一艇怡然，邻妓皆羡之。有空闲无客者，知余在寮，必来相访。合帮之妓，无一不识，每上其艇，呼余声不绝。余亦左顾右盼，应接不暇，此虽挥霍万金所不能致者。

余四月在彼处,共费百余金,得尝荔枝鲜果,亦平生快事。后鸨儿欲索五百金强余纳喜,余患其扰,遂图归计。秀峰迷恋于此,因劝其购一妾,仍由原路返吴。

明年,秀峰再往,吾父不准偕游,遂就青浦①杨明府之聘。及秀峰归,述及喜儿因余不往,几寻短见。噫,"半年一觉扬帮梦,赢得花船薄幸名"②矣。

[注释]

①青浦:在今上海青浦区。

②半年一觉扬帮梦,赢得花船薄幸名:此处化用杜牧《遣怀》诗句"十年一觉扬州梦,赢得青楼薄幸名"。

[译文]

从此,或是十日,或是五日,扬帮必定派人来叫我们,喜儿有时也自己坐着小船,亲自到河边来迎接我。我每次去,必定和秀峰一起,不请其他客人,也不另外坐船。一晚上的欢会,不过四块番银而已。秀峰今翠明红,俗话叫做跳槽,甚至一次叫上两个妓女。我则只叫喜儿一人,偶然独自前往,或者在平台上小酌,或者在寮内清谈,不让喜儿唱歌,也不强迫她喝酒,温存体恤,全船的人都很高兴,邻船的妓女都很羡慕。有空闲没有客人的,知道我在寮内,必定来拜访。全帮的妓女,没有一个不认识我,每次上船的时候,和我打招呼的声音不断,我也左顾右盼,应接不暇,这即便是挥霍万金都买不来的。

我在这个地方呆了四个月,共花费一百多两银子,得以品尝荔枝鲜果,这也是平生快事。后来老鸨想要五百两银子,强迫我娶喜儿为妾,我担心她骚扰,遂打算回家。秀峰对这里很迷恋,就劝他买了一个妾,我们仍从原路返回吴地。

第二年,秀峰又去广东,我父亲不准我和他一起去,于是接受青浦杨明府的聘请。秀峰回来后,告诉我喜儿因我不去,几乎要寻短见。噫,我这是"半年一觉扬帮梦,赢得花船薄幸名"啊。

余自粤东归来,馆青浦两载,无快游可述。未几,芸、憨相遇,物议沸腾,芸以愤激致病。余与程墨安设一书画铺于家门之侧,聊佐汤药之需。

[译文]

我从粤东回来后,在青浦坐馆两年,没有什么快游可讲。不久,芸娘和憨园相遇,引起很多非议,芸也因此激愤生病。我和程墨安在家门旁开了一个书画铺,聊以供汤药之需。

中秋后二日,有吴云客偕毛忆香、王星烂邀余游西山①小静室,余适腕底无闲,嘱其先往。吴曰:"子能出城,明午当在山前水踏桥之来鹤庵相候。"余诺之。

[注释]

①西山:在今苏州,为太湖中第一大岛。

[译文]

中秋后两天,吴云客和毛忆香、王星烂一起邀请我到西山小静室去游玩,我正好手里有活干,就告诉他们先去。吴云客说:"你要是能出城的话,我们明天中午在山前水踏桥的来鹤庵等着你。"我答应了。

越日,留程守铺,余独步出阊门①,至山前,过水踏桥,循田塍②而西。见一庵南向,门带清流,剥啄③问之,应曰:"客何来?"余告之。笑曰:"此'得云'也,客不见匾额乎?'来鹤'已过矣。"余曰:"自桥至此,未见有庵。"其人回指曰:"客不见土墙中森森多竹者,即是也。"

[注释]

①阊门：苏州城西门。

②塍（chéng）：田间土埂。

③剥啄：敲门。

[译文]

第二天，让程墨安留下来看守店铺，我独自步行，出阊门，到山前，过水踏桥，顺着田埂往西走，看到一座朝南的寺庙，门口有一条小溪。敲门问路，里面答应道："客人从哪里来？"我告诉了他。里面笑道："这里是'得云'，客官没有看到匾额吗？来鹤已经走过了。"我说："从桥上走到这里，没有看到寺庙。"那人用手往回指着说："客官不见土墙里有很多竹子吗，那里就是。"

余乃返至墙下，小门深闭，门隙窥之，短篱曲径，绿竹猗猗①，寂不闻人语声。叩之，亦无应者。一人过，曰："墙穴有石，敲门具也。"余试连击，果有小沙弥出应。余即循径入，过小石桥，向西一折，始见山门，悬黑漆额，粉书"来鹤"二字，后有长跋，不暇细观。入门经韦驮②殿，上下光洁，纤尘不染，知为小静室。

[注释]

①猗（yī）猗：茂盛，茂密的样子。

②韦驮：佛教护法神。

[译文]

我于是往回走到墙下，看到有个小门紧闭着，从门缝往里看，短篱曲径，绿竹茂盛，非常安静，听不到人的声音。敲了敲门，也没有回应。有个人从旁边经过，告诉我说："墙洞里有块石头，这是敲门的工具。"我试着用石头连敲几下，果然有个小沙弥出来答应。我就顺着小路进去，过了一座小石桥，往西一转，才看到山门,上面挂着一块黑漆匾额,写着"来鹤"两字,后面还有比较长的跋文,我也来不及细看。进门经过韦驮殿,看到这里上下光洁,纤尘不染,知道这就是小静室。

忽见左廊又一小沙弥奉壶出,余大声呼问,即闻室内星烂笑曰:"何如?我谓三白决不失信也。"旋见云客出迎,曰:"候君早膳,何来之迟?"一僧继其后,向余稽首,问知为竹逸和尚。入其室,仅小屋三椽,额曰"桂轩",庭中双桂盛开。星烂、忆香群起嚷曰:"来迟罚三杯。"席上荤素精洁,酒则黄白俱备。余问曰:"公等游几处矣?"云客曰:"昨来已晚,今晨仅到得云、河亭耳。"欢饮良久。饭毕,仍自得云、河亭,共游八、九处,至华山①而止。各有佳处,不能尽述。华山之顶有莲花峰,以时欲暮,期以后游。桂花之盛,至此为最,就花下饮清茗一瓯,即乘山舆②,径回来鹤。

[注释]

①华山:在今苏州支硎山西,为天池山的后山。

②山舆:山轿。

[译文]

忽然看到左边走廊上又有个小沙弥捧着茶壶出来,我大声喊着问他,就听到室内星烂笑着说:"怎么样?我说三白决不会失信。"随即看到云客出来迎接,说道:"等你一起吃早餐,怎么来得这么晚?"一位僧人在他后面,向我稽首,一问才知道是竹逸和尚。进了小静室,仅有小屋三间,匾额上写着"桂轩"两个字,庭院里两棵桂树正在盛开。星烂、忆香站起来嚷道:"来晚了罚酒三杯。"酒席上不管荤菜、素菜,都很精洁,酒则黄酒、白酒都准备了。我问道:"你们游玩了几个地方?"云客说:"昨天来的时候已经晚了,今天早上仅到得云、河亭而已。"大家畅饮了很长时间。吃完饭后,众人仍从得云、河亭开始，游览了八九个地方，走到华山才停下来。各处风景自有其佳处，不能一一都说出来。华山顶上有座莲花峰，因当时天快黑了，准备以后再游。桂花的繁盛，以这里为最，大家在花下饮了一杯清茶，就坐着山轿，直接回来鹤庵。

桂轩之东，另有临洁小阁，已杯盘罗列。竹逸寡言静坐，而好客善饮。始则折桂催花，继则每人一令，二鼓始罢。余曰："今夜月色甚佳，即此酣卧，未免有负清光，何处得高旷地，一玩月色，庶不虚此良夜也！"竹逸曰："放鹤亭①可登也。"云客曰："星烂抱得琴来，未闻绝调，到彼一弹，何如？"乃偕往。但见木犀香里，一路霜林，月下长空，万籁俱寂。星烂弹《梅花三弄》②，飘飘欲仙。忆香亦兴发，袖出铁笛，呜呜而吹之。云客曰："今夜石湖看月者，谁能如吾辈之乐哉？"盖吾苏八月十八日石湖行春桥下有看串月胜会③，游船排挤，彻夜笙歌，名虽看月，实则挟妓哄饮而已。未几，月落霜寒，兴阑归卧。

[注释]

①放鹤亭：在今苏州支硎山。

②《梅花三弄》：又名《梅花引》、《玉妃引》，中国古代表现梅花的名曲。

③石湖：在今苏州西南。行春桥：跨石湖北渚，始建年代无考，后多次重修。

[译文]

在桂轩的东边，另有一座临洁小阁，里面已经杯盘罗列。竹逸和尚静静地坐着，不怎么说话，但他好客，善于饮酒。我们起初折桂催花，后来每人行一个酒令，直到二更时分才结束。我说："今天夜里月色相当好，就这样酣睡，未免辜负清光，到哪里找块空旷的高地，玩赏月色，这样才不虚度良夜啊！"竹逸说："放鹤亭可以登上赏月。"云客说:"星烂抱着琴来,还没有听到绝调,到那里弹一曲如何?"于是大家一起过去。只见桂花飘香,一路霜林,月下长空,万籁俱寂。星烂弹奏《梅花三弄》,让人有飘飘欲仙之感。忆香也兴致大发,从袖里拿出铁笛,呜呜地吹了起来。云客说:"今夜在石湖看月的人,有谁能像我们这样快乐呢?"我家乡苏州八月十八日在石湖行春桥下有看串月的胜会,游船密集地排在一起,彻夜笙歌,名义上是看月,实际上不过挟妓凑热闹饮酒而已。不久,月落霜寒,大家兴致已尽,回去睡觉。

明晨,云客谓众曰:"此地有无隐庵①,极幽僻,君等有到过者否?"咸对曰:"无论未到,并未尝闻也。"竹逸曰:"无隐四面皆山,其地甚僻,僧不能久居。向年曾一至,已坍废,自尺木彭居士②重修后,未尝往焉,今犹依稀识之。如欲往游,请为前导。"忆香曰:"枵腹去耶?"竹逸笑曰:"已备素面矣,再令道人携酒盒相从也。"面毕,步行而往。过高义园,云客欲往白云精舍,入门就坐。一僧徐步出,向云客拱手曰:"违教两月,城中有何新闻?抚军在辕否?"③忆香忽起曰:"秃。"拂袖径出。余与星烂忍笑随之,云客、竹逸酬答数语,亦辞出。

[注释]

①无隐庵:在今苏州天平山中。

②尺木彭居士:彭绍升(1740~1796),字允初,号尺木,法名际。苏州人。

③抚军:巡抚。辕:官署,衙署。

[译文]

第二天早上,云客对大家说:"这里有座无隐庵,极为幽僻,你们有谁去过吗?"大家答道:"不要说没有去过,就连听都没有听说过。"竹逸说:"无隐庵的四面都是山,地方非常偏僻,连僧人都不能久住。我往年曾去过一次，寺庙已经倒塌荒废，自从尺木彭居士重修之后，还没有去过，如今仍能依稀认识路。如果大家想去游玩，我在前面带路。"忆香问："空着肚子去吗？"竹逸笑着答道："已经准备素面了，再让道人带着酒菜盒子在后面跟着。"吃完素面，大家一起步行前往。过了高义园，云客想去白云精舍，进门就坐下了。一位僧人慢慢走出来，向云客拱手问道："有两个月没有当面请教了，苏州城内有什么新闻？抚军还在官衙里吗？"忆香忽然站起来说："秃。"拂袖而出。我和星烂忍着笑跟在他后面，云客、竹逸寒暄了几句话，也告辞出来。

高义园即范文正公①墓，白云精舍在其旁。一轩面壁，上悬藤萝，下凿一潭，广丈许，一泓清碧，有金鳞②游泳其中，名曰"钵盂泉"③。竹炉茶灶，位置极幽。轩后于万绿丛中，可瞰范园之概。惜衲子俗，不堪久坐耳。是时由上沙村过鸡笼山，即余与鸿干登高处也。风物依然，鸿干已死，不胜今昔之感。正惆怅间，忽流泉阻路，不得进，有三、五村童掘菌子④于乱草中，探头而笑，似讶多人之至此者。询以无隐路，对曰："前途水大，不可行，请返数武，南有小径，度岭可达。"从其言。度岭南行里许，渐觉竹树丛杂，四山环绕，径满绿茵，已无人迹。竹逸徘徊四顾曰："似在斯，而径不可辨，奈何？"余乃蹲身细瞩，于千竿竹中隐隐见乱石墙舍，径拨丛竹间，横穿入觅之，始得一门，曰"无隐禅院，某年月日南园老人彭某重修"，众喜曰："非君则武陵源矣。"

[注释]

① 范文正公：即范仲淹（989～1052），字希文，谥文正。江苏吴县人。

② 金鳞：鱼。

③ 钵盂泉：又名"白云泉"，与怪石、红枫并称天平山三绝。

④菌子：蘑菇。

[译文]

　　高义园就是范文正公的墓地，白云精舍在其旁边。其中有座房子面朝石壁，上面悬挂着藤萝，下面开凿了一座水潭，有一丈见方，一泓清碧，小鱼在水中游动，此处名叫"钵盂泉"，竹炉茶灶，所在的位置极为幽僻。站在轩后的万绿丛中，可以俯瞰范园的全景。可惜僧人俗气，不堪久坐。此时从上沙村过鸡笼山，就是我和鸿干登高的地方。如今风物依然，鸿干已死，让人有不胜今昔的感叹。正在惆怅的时候，忽然有条湍急的溪流挡住去路，无法前行，附近有三五个村童在乱草中挖蘑菇，他们探头看着我们发笑，似乎惊讶有这么多人来到这里。向他们询问去无隐庵的路，他们答道："前面水大不能走。请返回几步，向南有条小路，翻过山岭就可以到达。"我们按照村童说的，翻过山岭，走了一里多地，渐渐发觉竹树丛杂，四面群山环绕，路上都是绿荫，没有人来过的痕迹。竹逸徘徊着往四面看，说道："好像在这里，但路已无法辨认，怎么办呢？"我蹲下身来细细观察，在竹林里隐隐约约看到有乱石墙舍，拨开竹丛，从里面穿过去寻找，这才看到一个小门，上面写着"无隐禅院，某年月日南园老人彭某重修"，大家都高兴地说："如果不是你，今天这里就成了武陵源啦。"

　　山门紧闭，敲良久，无应者。忽旁开一门，呀然有声，一鹑衣①少年出，面有菜色②，足无完履，问曰："客何为者？"竹逸稽首曰："觅此幽静，特来瞻仰。"少年曰："如此穷山，僧散无人接待，请觅他游。"言已，闭门欲进。云客急止之，许以启门放游，必当酬谢。少年笑曰："茶叶俱无，恐慢客耳，岂望酬耶？"

[注释]

①鹑（chún）衣：破旧的衣服。

②菜色：营养不良的样子。

[译文]

山门紧闭，敲了很长时间，都没有人回应。忽然旁边开了一个小门，呀然作响，有个衣着破旧的少年出来，面有菜色，脚下的鞋也是破的，他问道："客人是要干什么呢？"竹逸和尚稽首道："找到这个幽僻的地方，特来瞻仰。"那位少年答道："这么穷的地方，僧人都已散去，无人接待，请找其他地方游览吧。"说完，想关门进去。云客急忙阻止他，许诺如果开门放我们进去游玩，必定付给酬金。那位少年笑道："茶叶都没有，担心怠慢了客人，哪还想要什么酬谢呢？"

山门一启，即见佛面，金光与绿阴相映，庭阶石础①苔积如绣，殿后台级如墙，石栏绕之。循台而西，有石形如馒头，高二丈许，细竹环其趾。再西折北，由斜廊蹑级而登，客堂三楹，紧对大石。石下凿一小月池，清泉一派，荇藻②交横。堂东即正殿，殿左西向为僧房厨灶，殿后临峭壁，树杂阴浓，仰不见天。星烂力疲，就池边小憩，余从之。

[注释]

①石础：石基。

②荇藻：水草。

[译文]

山门一开，就能看到佛像，金光和绿荫相辉映，院子里石基上满是绿苔，像刺绣一样，殿后的台阶像墙壁，顶上有石栏杆环绕。顺着台子往西，有块石头形状如馒头，高两丈左右，下面有细竹环绕。往西向北转，从一个斜廊登上台阶，有客堂三间，正对着大石头。石下开凿了一个月形的小水池,清泉流动,水草交错。客堂东边就是正殿,殿左朝西曾经是僧房厨灶。殿后挨着峭壁,树杂荫浓,抬头都看不到天。星烂感到疲劳,靠在池边休息,我也跟着他休息。

将启盒小酌,忽闻忆香音在树梢,呼曰:"三白速来,此间有妙境。"仰而视之,不见其人,因与星烂循声觅之。由东厢出一小门,折北,有石蹬如梯,约数十级,于竹坞中瞥见一楼。又梯而上,八窗洞然,额曰"飞云阁"。四山抱列如城,缺西南一角,遥见一水浸天,风帆隐隐,即太湖也。倚窗俯视,风动竹梢,如翻麦浪。忆香曰:"何如?"余曰:"此妙境也。"忽又闻云客于楼西呼曰:"忆香速来,此地更有妙境。"因又下楼,折而西,十余级,忽豁然开朗,平坦如台。度其地,已在殿后峭壁之上,残砖缺础尚存,盖亦昔日之殿基也。周望环山,较阁更畅。忆香对太湖长啸一声,则群山齐应。

[译文]

正要打开食盒小酌,忽然听到忆香的声音从树梢上传来,他喊道:"三白快来,这里有妙境。"抬头观看,见不到人,于是和星烂顺着声音寻找。从东厢房出一个小门,往北转,有处石阶像梯子一样,约有几十级,在竹坞里看到有座楼。又顺着梯子上去,只见八扇窗子开着,匾额上写着"飞云阁"。四面群山环抱,如身处城中一样,只有西南缺少一角,从这里远远望去,水天相连,隐隐约约看到一些小船,这里就是太湖。靠着窗户俯视,风吹竹梢,像麦浪翻滚。忆香问道:"怎么样?"我说:"这里确实是妙境啊。"忽然又听到云客在楼西喊道:"忆香快来,这里更有妙境。"于是又下楼,往西转,登上十来个台阶,顿时豁然开朗,上面平坦如台。估计这个地方,已在殿后的峭壁上,地上还存留着一些残砖碎石,大概也是过去正殿的根基。四面望着群山，比刚才在阁楼上看更为畅快。忆香对着太湖长啸一声，群山一起回应。

乃席地开樽①，忽愁枵腹，少年欲烹焦饭②代茶，随令改茶为粥，邀与同啖。询其何以冷落至此，曰："四无居邻，夜多暴客③，积粮时来强窃，即植蔬果，亦半为樵子所有。此为崇宁寺④下院，长厨中月送饭干一石、盐菜一坛而已。某为彭姓裔，暂居看守，行将归去，不久当无人迹矣。"云客谢以番银一圆。

[注释]

①樽（zūn）：古代一种酒器。
②焦饭：锅巴。
③暴客：强盗，盗贼。
④崇宁寺：在今江苏昆山巴城镇北，阳澄湖东岸，始建于南朝梁武帝时。

[译文]

于是大家席地而坐，开始饮酒，忽然感到肚子饿，那位少年想要煮锅巴代茶，随即让他改茶为粥，请他一起坐下吃。问他此处为什么冷落到这种程度，他答道："这里四周没有邻居，夜里多有强盗，他们时常会来抢夺积粮，即便种植蔬菜水果，也大半被樵夫们弄走。这里是崇宁寺的下院，长厨每月月中送来饭干一石、盐菜一坛罢了。我是彭姓的后裔，暂时住在这里看守，也准备回去，不久这里就没有人迹了。"云客给他一块番银作为酬谢。

返至来鹤，买舟而归。余绘《无隐图》一幅，以赠竹逸，志快游也。

是年冬，余为友人作中保所累，家庭失欢，寄居锡山华氏。明年春，将之维扬而短于资，有故人韩春泉在上洋①幕府，因往访焉。衣敝履穿，不堪入署，投札约晤于郡庙园亭中。及出见，知余愁苦，慨助十金。园为洋商捐施而成，极为阔大，惜点缀各景，杂乱无章，后叠山石，亦无起伏照应。

[注释]

①上洋：在今上海。

[译文]

回到来鹤庵，大家雇船回家。我画了一幅《无隐图》，送给竹逸和尚，以纪念这次的快游。

这年冬天，我为朋友做保人受到连累，弄得家里人不高兴，寄住在锡山华氏家里。第二年春天，想到扬州但缺少资金。有个旧交韩春泉在上洋幕府，于是去拜访他。因衣服破旧，无法进入官署，就写信约他在郡庙园亭里见面。韩春泉出来相见，得知我愁苦无助，慷慨地资助我十两银子。郡庙的园子是洋商捐款建成的，十分宽敞，可惜各处点缀的风景，杂乱无章，后面垒的山石，也没有起伏照应。

归途忽思虞山之胜，适有便舟附之。时当春仲，桃李争妍，逆旅行踪，苦无伴侣，乃怀青铜①三百，信步至虞山书院②。墙外仰瞩，见丛树交花，娇红稚绿，傍水依山，极饶幽趣。惜不得其门而入，问途以往，遇设篷瀹③茗者，就之，烹碧罗春，饮之极佳。询虞山何处最胜，一游者曰："从此出西关，近剑门④，亦虞山最佳处也。君欲往，请为前导。"余欣然从之。出西门，循山脚，高低约数里，渐见山峰屹立，石作横纹。至则一山中分，两壁凹凸，高数十仞，近而仰视，势将倾堕。其人曰："相传上有洞府⑤，多仙景，惜无径可登。"余兴发，挽袖卷衣，猿攀而上，直造其巅。所谓洞府者，深仅丈许，上有石罅，洞然见天。俯首下视，腿软欲堕。乃以腹面壁，依藤附蔓而下。其人叹曰："壮哉，游兴之豪，未见有如君者。"余口渴思饮，邀其人就野店沽饮三杯。阳乌将落，未得遍游，拾赭石⑥十余块，怀之归寓，负笈搭夜航至苏，仍返锡山。此余愁苦中之快游也。

[注释]

①青铜：铜钱。

②虞山书院：又名"文学书院"、"学道书院"。在今江苏常熟城西北，虞山之麓。始建于元代。

③瀹（yuè）：煮。

④剑门：在今常熟虞山中部最高处，海拔261米。

⑤洞府：相传神仙居住的地方。

⑥赭石：暗棕色石头，常用作颜料。

[译文]

回家的路上忽然想到虞山的胜景，正好有便船可以搭乘。此时正当仲春，桃李争妍，旅途中只有我一个人，苦于没有伴侣。于是带着三百文钱，信步走到虞山书院。从墙外抬头观看，只见丛树交花，娇红稚绿，傍水依山，很有幽趣，可惜不得其门而入。问路过去，偶尔看到一个设篷卖茶的，就到那里。店主烹煮的是碧罗春，喝起来非常好。我询问虞山的风景哪里最好，一位游客说："从这里出西关，离剑门很近，也是虞山最好的地方。你要去的话，我给你带路。"我欣然跟着他。出了西门，顺着山脚，高低不平地走了几里地，渐渐看到山峰屹立，山石有横纹。到了近前，山从中间分开，两壁凹凸不一，高约几十丈。近而仰视，好像要倒下来一样。那个人说："相传上面有神仙的洞府，多有仙景，可惜无路可登。"我游兴大发，挽袖卷衣，像猴子一样攀爬而上，一直爬到顶上。发现所谓的洞府，深仅一丈多，上面有个石缝，往上可以看到天空。低头向下看，两腿发软，感觉想要掉下来。于是用腹部贴着石壁，依附着藤蔓下来，那个人感叹道："壮观啊，游兴这么豪放的，还没有见到有超过你的。"我感到口渴，想喝酒，就邀请那个人到野店里喝了几杯。太阳快要落山,还未能游遍这里,就捡了十来块暗棕色的石头,放到怀里带回去。我带着行装,搭乘夜里的船只到了苏州,仍回到锡山。这是我愁苦中的快游啊。

　　嘉庆甲子①春,痛遭先君之变,行将弃家远遁,友人夏揖山挽留其家。秋八月,邀余同往东海永泰沙,勘收花息②。沙隶崇明,出刘河口③,航海百余里。新涨初辟,尚无街市。茫茫芦荻,绝少人烟,仅有同业丁氏仓房数十椽,四面掘沟河,筑堤栽柳绕于外。丁字实初,家于崇,为一沙之首户。司会计者姓王,俱豪爽好客,不拘礼节,与余乍见,即同故交。宰猪为饷,倾瓮为饮。令则拇战,不知诗文;歌则号呶④,不讲音律。酒酣,挥工人舞拳相扑为戏。蓄牯牛百余头,皆露宿堤上。养鹅为号,以防海贼。日则驱鹰犬猎于芦丛沙渚间,所获多飞禽。余亦从之驰逐,倦则卧。引至园田成熟处,每一字号圈筑高堤,以防潮汛。堤中通有水窦,用闸启闭,旱则长潮时启闸灌之,潦则落潮时开闸泄之。佃人皆散处如列星,一呼俱集,称业户曰"产主",唯唯听命,朴诚可爱,而激之非义,则野横过于狼虎。幸一言公平,率然拜服。风雨晦明,恍同太古⑤。卧床外瞩,即睹洪涛,枕畔潮声,如鸣金鼓。一夜,忽见数十里外有红灯,大如栲栳⑥,浮于海中,又见红光烛天,势同失火。实初曰:"此处起现神灯神火,不久又将涨出沙田矣。"揖山兴致素豪,至此益放。余更肆无忌惮,牛背狂歌,沙头醉舞,随其兴之所至,真生平无拘之快游也。事竣,十月始归。

[注释]

①嘉庆甲子:1804年。

②花息:利息。

③刘河口:在今江苏太仓。

④号呶：喧闹，叫嚷。

⑤太古：远古。

⑥栲栳（kǎo lǎo）：用竹篾或柳条编成的圆筐。

[译文]

　　嘉庆甲子年的春天，我痛苦地遇到父亲去世的变故，准备离家远道，朋友夏揖山挽留我住在他家里。当年秋八月，他请我一起到东海永泰沙去收田租，永泰沙隶属崇明。出了刘河口，在海上航行一百多里。永泰沙是新涨初辟的，还没有街市，一眼望去，茫茫芦荻，几乎没有人烟。只有同业丁氏的几十间仓库，四面挖出沟河，筑堤栽柳，环绕在外面。丁氏字实初，家住在崇明，是全沙的首户。担任会计的人姓王，他们都是豪爽好客，不拘礼节，和我初次见面，就如同故交一样。于是宰猪吃饭，捧着坛子喝酒。酒令就是划拳，不懂诗文；唱歌则乱喊乱叫，不讲音律。酒喝到高兴处，指挥工人以舞拳、相扑的方式作乐。这里养了一百多头牛，都露宿在堤坝上。养鹅为号，以防海盗。白天驱赶着鹰犬在芦丛沙渚间打猎，所捕获的大多是飞禽。我也跟着他们驰骋追赶，累了就倒下来睡觉。他们曾带我到田园成熟的地方，这里每一个字号都用高高的堤坝圈起来，以防潮汛。堤坝中有水洞相通，用闸门来开启关闭。旱了就在涨潮时开闸浇灌，涝了则在落潮时开闸泄水。佃户像繁星那样散布在各个地方，一喊就聚集起来，他们称业户为产主，唯唯听命，诚朴可爱。若不用大义激励他们，他们的蛮横就会超过虎狼，所幸一言公平，大家全都拜服。风雨晦明，仿佛回到太古时代。睡到床上往外就可看到波涛，枕边潮声如同金鼓鸣响。一天夜里，忽然看到几十里外有红灯，大如栲栳，漂浮在海里，又看到红光映照着天空，好像失火了一样。实初说："这里显现神灯神火，不久又将涨出新的沙田了。"揖山兴致向来粗豪，到了这里更加豪放。我更是肆无忌惮，坐在牛背上狂歌，在沙头喝醉乱舞，都是随着个人的兴致，这真是生平没有拘束的快游啊。事情办完，到十月份才回去。

吾苏虎丘之胜，余取后山之千顷云①一处，次则剑池②而已，余皆半藉人工，且为脂粉所污，已失山林本相。即新起之白公祠、塔影桥③，不过留名雅耳。其冶坊滨，余戏改为"野芳滨"，更不过脂乡粉队，徒形其妖冶而已。其在城中最著名之狮子林④，虽曰云林手笔，且石质玲珑，中多古木，然以大势观之，竟同乱堆煤渣，积以苔藓，穿以蚁穴，全无山林气势。以余管窥所及，不知其妙。灵岩山⑤为吴王馆娃宫故址，上有西施洞、响屧⑥廊、采香径诸胜，而其势散漫，旷无收束，不及天平支硎之别饶幽趣。

[注释]

①千顷云：在今苏州虎丘后山。

②剑池：又名"剑泉"，在今苏州虎丘千人石北。据说吴王阖闾葬于此处。

③白公祠：在今苏州市山塘街，清嘉庆二年（1797）于塔影园旧址改建，纪念曾任苏州刺史的白居易。塔影桥：在今苏州虎丘附近环山河上，建于清嘉庆年间。

④狮子林：在今苏州城东北园林路，为苏州四大名园之一，始建于元代。

⑤灵岩山：在今苏州西南木渎镇。

⑥屧（xiè）：木鞋。

[译文]

说到我家乡苏州虎丘的胜景，我取后山千顷云这个地方，其次则剑池而已。其他都是半借人工，且为脂粉污染，已经失去山林的本来面目。即便是新建的白公祠、塔影桥，不过是取名雅致而已。冶坊滨，我开玩笑地把它改为"野芳滨"，更不过是像脂粉女子一样,只是外形妖艳罢了。在城里最著名的狮子林,虽说是出自云林的手笔,且山石玲珑,其中多有古木,但就整体来看,如同煤渣胡乱堆放,堆积些苔藓,弄些蚁穴,全无山林的气势。以我管见所及,不知道它的妙处。灵岩山是吴王馆娃宫的旧址,上面有西施洞、响屧廊、采香径等名胜,但分布散漫,空旷而缺少收束,不如天平支硎的别饶幽趣。

邓尉山①一名元墓,西背太湖,东对锦峰,丹崖翠阁,望如图画。居人种梅为业,花开数十里,一望如积雪,故名曰"雪海"。山之左有古柏四树,名之曰"清"、"奇"、"古"、"怪":清者,一株挺直,茂如翠盖;奇者,卧地三曲,形同"之"字;古者,秃顶阔扁,半朽如掌;怪者,体似旋螺,枝干皆然。相传汉以前物也。

[注释]

①邓尉山:在今苏州西南,为赏梅胜地。

[译文]

邓尉山又名元墓,西面靠着太湖,东面对着锦峰,丹崖翠阁,望去如同图画,住在这里的人以种梅为业,花开的时候方圆几十里,一望如遍地积雪,故名"雪海"。山的左边有四棵古柏,名字叫"清"、"奇"、"古"、"怪":叫"清"的这棵树干挺直,繁茂如翠盖;叫"奇"的这棵倒在地上弯三弯,形状如"之"字;叫"古"的这棵秃顶阔扁,已半朽,形如手掌;叫"怪"的这棵,形体似螺旋,枝干皆是如此。相传它们都是汉代以前所种的。

乙丑①孟春,揖山尊人②莼芗先生偕其弟介石,率子侄四人,往蜍山③家祠春祭,兼扫祖墓,招余同往。顺道先至灵岩山,出虎山桥④,由费家河进香雪海观梅。蜍山祠宇即藏于香雪海中,时花正盛，咳吐俱香，余曾为介石画《幞山风木图》十二册。

［注释］

①乙丑：1805 年。

②尊人：父亲。

③幞山：在今江苏吴县。

④虎山桥：在今苏州光福镇北。

［译文］

乙丑年孟春，揖山的父亲蒓芗先生和他弟弟介石一起，带着子侄四人，到幞山的家祠去春祭，兼扫祖墓，他们喊我一同前往。大家顺道先到灵岩山，从虎山桥出来，由费家河到香雪海看梅花。揖山幞山的家祠就藏在香雪海里，当时花开正盛，呼吸之间都带着香气。我曾为介石画了十二册《幞山风木图》。

是年九月，余从石琢堂殿撰赴四川重庆府之任，溯长江而上，舟抵皖城①。皖山②之麓，有元季忠臣余公③之墓，墓侧有堂三楹，名曰"大观亭"，面临南湖，背倚潜山。亭在山脊，眺远颇畅。旁有深廊，北窗洞开，时值霜叶初红，烂如桃李。同游者为蒋寿朋、蔡子琴。南城外又有王氏园，其地长于东西，短于南北，盖北紧背城、南则临湖故也。既限于地，颇难位置，而观其结构，作重台叠馆之法。重台者，屋上作月台为庭院，叠石栽花于上，使游人不知脚下有屋。盖上叠石者则下实，上庭院者则下虚，故花木仍得地气而生也。叠馆者，楼上作轩，轩上再作平台。上下盘折，重叠四层，且有小池，水不漏泄，竟莫测其何虚何实。其立脚全用砖石为之，承重处仿照西洋立柱法。幸面对南湖，目无所阻，骋怀游览，胜于平园。真人工之奇绝者也。

［注释］

①皖城：在今安徽潜山。

②皖山：又名"天柱山"、"潜山"。在今安徽潜山县。

③余公：即余阙（1303～1358），庐州人。曾任安庆郡守，元至正十八年（1358），陈友谅破安庆，余阙全家殉难。

[译文]

这一年九月，我跟着石琢堂状元到四川重庆府赴任，沿长江溯流而上，船只抵达皖城。在皖山山脚下，有元代忠臣余公的陵墓，墓旁有三间厅堂，名叫"大观亭"，面对南湖，背靠潜山。亭子在山脊上，眺望远方，颇为畅快。旁边有一个长廊，向北开着窗子，当时正值霜叶初红，灿烂如桃李，一起游览的有蒋寿朋、蔡子琴等人。南城外还有一座王氏的庭院，这个地方东西长，南北短，大概是北面紧挨城墙，南面临近南湖的缘故。受限于地理位置，很难设计，看其结构，主要采用重台叠馆的方法。所谓重台，就是在房屋上建月台，作为庭院，在上面叠石栽花，让游人不知道脚下有房屋。上面叠石的地方下面就填实，上面有庭院的地方下面就虚空，所以花木仍然可以得地气而生长。所谓叠馆，就是楼上建轩，轩上再建平台。上下盘旋曲折，重叠四层，还建有小水池，水并不泄露，竟然无法知道哪里是实的，哪里是虚的。其立脚的地方都用砖石建成，承重的地方仿照西洋的立柱法。幸亏面对南湖，视线不受阻碍，可以尽情游览，比在平地上的园子还要好，这真是人工的奇绝之处啊。

武昌黄鹤楼①在黄鹄矶上，后拖黄鹄山，俗呼为蛇山。楼有三层，画栋飞檐，倚城屹峙②，面临汉江，与汉阳晴川阁③相对。余与琢堂冒雪登焉，俯视长空，琼花风舞，遥指银山玉树，恍如身在瑶台。江中往来小艇，纵横掀播，如浪卷残叶，名利之心，至此一冷。壁间题咏甚多，不能记忆，但记楹对有云："何时黄鹤重来，且共倒金樽，浇洲渚千年芳草；但见白云飞去，更谁吹玉笛，落江城五月梅花。"

[注释]

①黄鹤楼：在今湖北武昌蛇山黄鹄矶头。黄鹄山即黄鹤山。

②屹峙（yì zhì）：高耸，直立。

③晴川阁：又名"晴川楼"，在今武汉汉阳区晴川街，位于长江北岸、龟山东麓的禹功矶。

[译文]

武昌黄鹤楼建在黄鹄矶上，后面连着黄鹄山，俗称蛇山。楼建有三层，画栋飞檐，倚城耸立，面对着汉江，与汉阳晴川阁遥遥相对。我和琢堂冒雪登楼，俯视长空，但见雪花在风中飞舞，用手指着远处的银山玉树，恍若身在瑶台之上。江中往来的小船，纵横扬帆，像浪花卷着残叶，名利之心到这里为之一冷。墙壁上题咏很多，不能都记下来，只是记得有副楹联这样写道："何时黄鹤重来，且共倒金樽，浇洲渚千年芳草；但见白云飞去，更谁吹玉笛，落江城五月梅花。"

黄州①赤壁在府城汉川门外，屹立江滨，截然如壁。石皆绛色，故名焉。《水经》谓之赤鼻山②，东坡游此，作二赋，指为吴魏交兵处，则非也。壁下已成陆地，上有二赋亭。

[注释]

①黄州：在今湖北黄冈市。

②赤鼻山：又名"赤鼻矶"，在今湖北黄冈西北，郦道元《水经注》："赤鼻山，侧临江川。"

[译文]

黄州赤壁在府城汉川门外，屹立在江边，山石如墙壁一样笔直。这里的石头都呈红色，以此得名。《水经》称这里为赤鼻山。苏轼到此处游览，写了两篇赋，认为这里是吴魏交兵之处，实际上是错的。如今壁下已成为陆地，上面建有二赋亭。

是年仲冬，抵荆州①。琢堂得升潼关观察之信，留余住荆州，余以未得见蜀中山水为怅。时琢堂入川，而哲嗣敦夫眷属及蔡子琴、席芝堂俱留于荆州，居刘氏废园。余记其厅额曰"紫藤红树山房"。庭阶围以石栏，凿方池一亩。池中建一亭，有石桥通焉。亭后筑土垒石，杂树丛生。余多旷地，楼阁俱倾颓矣。客中无事，或吟或啸，或出游，或聚谈。岁暮，虽资斧②不继，而上下雍雍，典衣沽酒，且置锣鼓敲之。每夜必酌，每酌必令。窘则四两烧刀③，亦必大施觞政。

[注释]

① 荆州：在今湖北荆州市。

② 资斧：旅费，盘缠。

③ 烧刀：烧酒。

[译文]

这年仲冬，我们抵达荆州。此时琢堂得到升任潼关观察的消息，就让我留在荆州，我因此未能见到蜀中山水，颇感遗憾。琢堂入川，他的儿子敦夫及其家眷、蔡子琴、席芝堂等都留在荆州，住在刘氏的废园里。我记得厅堂的匾额上写着"紫藤红树山房"。庭院四周围着石栏杆，里面开凿了一个一亩见方的水池。池中建了一个亭子，有石桥相通。亭子后堆土垒石，上面杂树丛生。此外都是空地，楼阁都已经摇摇欲坠了。客居无事，或吟或啸，或外出游玩，或聚在一起聊天。到了岁末，虽然旅资不够，但大家上下融洽，典衣买酒，又买了锣鼓来敲。每天夜里必定饮酒，每次饮酒必行酒令。窘迫的时候虽然只买四两烧酒，大家也必定要大行酒令。

遇同乡蔡姓者，蔡子琴与叙宗系，乃其族子也，倩其导游名胜。至府学前之曲江楼①，昔张九龄②为长史时，赋诗其上。朱子亦有诗曰："相思欲回首，但上曲江楼。"③城上又有雄楚楼④，五代时高氏⑤所建。规模雄峻，极目可数百里。绕城傍水，尽植垂杨，小舟荡桨往来，颇有画意。荆州府署即关壮缪⑥帅府，仪门内有青石断马槽，相传即赤兔马食槽也。访罗含⑦宅于城西小湖上，不遇。又访宋玉⑧故宅于城北。昔庾信遇侯景之乱⑨，遁归江陵，居宋玉故宅，继改为酒家，今则不可复识矣。

[注释]

①曲江楼：原为荆州南门城楼，后为纪念张九龄而改名，张九龄是广东曲江人。

②张九龄：张九龄（678~740），字子寿，广东曲江人。唐玄宗时大臣。

③相思欲回首，但上曲江楼：语出朱熹《短句奉迎荆南幕府二首》诗。

④雄楚楼：在今荆州城北，后毁于战火。

⑤高氏：即高季兴。《荆州府志》："后梁乾化二年（912），高季兴大筑重城，复建雄楚楼。"

⑥关壮缪：即关羽，死后追谥壮缪侯。

⑦罗含：罗含（292~372），字君章，号富和，湖南耒阳人。曾于荆州隐居。

⑧宋玉：楚人，战国时期辞赋家。

⑨庾信：庾信（513~581），字子山，河南新野人。侯景之乱：梁武帝太清二年（548），北齐降将侯景发动的一场叛乱。

[译文]

在这里遇到了一个姓蔡的同乡，蔡子琴和他叙宗系，说起来还是同族，于是就请他带领大家游览名胜。大家首先到府学前的曲江楼，昔日张九岭在这里做长史的时候，曾在上面赋诗。朱子也有诗咏道："相思欲回首，但上曲江楼。"城上还有一座雄楚楼，是五代时高季兴所建。此楼宏大雄峻，在上面极目远眺，可以看到数百里远。环绕古城的河边，都种着垂杨，小船穿梭往来，颇有诗情画意。荆州府署就是当年关羽的帅府，仪门里还保留着青石断马槽，相传这就是赤兔马的食槽。我们曾到城西小湖上寻访罗含故宅，但没有找到。又到城北寻访宋玉故居。昔日庾信遇到侯景之乱，悄悄回到江陵，曾住在宋玉故宅中，后来这里改为酒家，如今已无法辨认了。

是年大除、雪后极寒，献岁发春，无贺年之扰，日惟燃纸炮、放纸鸢①、扎纸灯以为乐。既而风传花信，雨濯春尘，琢堂诸姬携其少女、幼子顺川流而下，敦夫乃重整行装，合帮②而走。由樊城③登陆，直赴潼关。

[注释]

①纸鸢：风筝。

②合帮：结伙。

③樊城：在今湖北襄樊市。

[译文]

这一年的大年除夕，刚下过雪，很是寒冷。献岁发春，我们没有拜年的烦扰，每天只是以放爆竹、放风筝、扎纸灯为乐。不久风传花信，雨濯春尘，琢堂的妻妾们带着她们年幼的儿女从四川顺流而下，敦夫于是重新收拾行装，大家一起结伴出发。从樊城登陆之后，直奔潼关而来。

由河南阌乡县西出函谷关①，有"紫气东来"四字，即老子乘青牛所过之地。两山夹道，仅容二马并行。约十里即潼关，左背峭壁，右临黄河，关在山河之间扼喉而起，重楼垒垛，极其雄峻。而车马寂然，人烟亦稀。昌黎诗曰"日照潼关四扇开"②，殆亦言其冷落耶？

[注释]

①阌（wén）乡：在今河南灵宝市。函谷关：在今河南灵宝北王垛村，为我国建置最早的要塞之一。

②日照潼关四扇开：语出韩愈《次潼关先寄张十二阁老使君》诗。

[译文]

从河南阌乡县的西面出函谷关，看到"紫气东来"四个字，这里就是当年老子骑青牛经过的地方。道路夹在两山之间，仅能容许两匹马并排走。往前走十里左右，就是潼关。这里左靠峭壁，右临黄河，关口在山河之间的要冲扼喉而起，重楼垒垛，十分雄峻。但这里马车不多，人烟也很稀少，韩愈诗中曾说"日照潼关四扇开"，大概也是在说这里冷落的情景吧？

城中观察之下，仅一别驾①。道署紧靠北城，后有园圃，横长约三亩。东西凿两池，水从西南墙外而入，东流至两池间，支分三道：一向南至大厨房，以供日用；一向东入东池；一向北折西，由石螭口中喷入西池，绕至西北，设闸泄泻，由城脚转北，穿窦而出，直下黄河。日夜环流，殊清人耳。竹树阴浓，仰不见天。西池中有亭，藕花绕左右。东有面南书室三间，庭有葡萄架，下设方石，可弈可饮，以外皆菊畦。西有面东轩屋三间，坐其中可听流水声。轩南有小门，可通内室。轩北窗下，另凿小池，池之北有小庙，祀花神。园正中筑三层楼一座，紧靠北城，高与城齐，俯视城外，即黄河也。河之北，山如屏列，已属山西界，真洋洋大观也。余居园南，屋如舟式，庭有土山，上有小亭，登之可览园中之概，绿阴四合，夏无暑气。琢堂为余颜其斋曰"不系之舟"。此余幕游以来第一好居室也。土山之间，艺菊数十种，惜未及含葩，而琢堂调山左廉访。以眷属移寓潼川书院，余亦随往院中居焉。

[注释]

①别驾：道员手下的属官。

[译文]

城中自观察之下，只有别驾一个属官。道署紧挨着北城，后面有个园圃，约三亩见方。东西两边开凿有两个水池，水从西南方的墙外流进来，往东流到两池之间，分成三个路线：其中一路向南流到大厨房，以供日常使用；一路向东流入东边的水池；一路向北再折向西，从石头雕刻的怪兽口中喷入西边的水池，再绕到西北方，这里设置了一个闸门来泻水，从城墙下转向北，从洞中穿出，直接流到黄河里。这些水日夜流淌，听起来很是悦耳。园里竹林茂密，抬头看不见天。西边的水池中有个亭子，周围都是荷花。在其东边有三间面朝南的书房，庭院里有个葡萄架，下面设有方石，可以下棋，也可以饮茶，此外都是种满菊花的田地。在其西边有三间朝东的房子，坐在其中可以听到流水声。在轩房南边有个小门，可以通到内室。在轩房北面的窗下，又开凿了一个小水池，小水池北有座小庙，祭祀的是花神。园圃正中建了一座三层的小楼，由于紧挨着北城，高度与城墙相当，俯视城外，可以看到黄河。黄河之北，群山林立，如同屏风一样，这里已是属于山西地界，真是洋洋大观啊。我住在园圃南面，房屋的样式像只船，庭院里有座土山，上面有个小亭子，登上去可以看到园圃的全景，四周都是绿荫，夏天也没有暑气。琢堂为我住的地方起名叫"不系之舟"。这是我游幕府以来所住的最好的居室。土山之间，种有几十种菊花，可惜还没来得及开花，琢堂就调到山东担任廉访。他把家眷迁移到潼川书院，我也只得跟随他们到书院去住了。

琢堂先赴任，余与子琴、芝堂等无事，辄出游。乘骑至华阴庙①。过华封里，即尧时三祝②处。庙内多秦槐汉柏，大皆三、四抱，有槐中抱柏而生者，柏中抱槐而生者。殿廷古碑甚多，内有陈希夷③书"福"、"寿"字。华山之脚有玉泉院④，即希夷先生化形骨蜕处。有石洞⑤如斗室，塑先生卧像于石床。其地水净沙明，草多绛色，泉流甚急，修竹绕之。洞外一方亭，额曰"无忧亭"。旁有古树三栋，纹如裂炭，叶似槐而色深，不知其名，土人即呼曰"无忧树"。太华⑥之高，不知几千仞，惜未能裹粮往登焉。归途见林柿正黄，就马上摘食之，土人呼止，弗听。嚼之涩甚，急吐去，下骑觅泉漱口，始能言，土人大笑。盖柿须摘下煮一沸，始去其涩，余不知也。

[注释]

① 华阴庙：又名"西岳庙"，在今陕西华阴县东。

② 尧时三祝：相传尧巡游到华州，当地人祝其长寿、富有及多男，故称"三祝"。

③ 陈希夷：即陈抟（？~989），字图南，号希夷先生，安徽亳州人。

④ 玉泉院：在今陕西华阴玉泉路最南端，为华山道教活动的主要场所。

⑤ 石洞：即希夷洞，在玉泉院山荪亭西，为宋人贾得升开凿。

⑥ 太华：华山。

[译文]

琢堂先去上任，我和子琴、芝堂等人没有事情做，就外出游玩。大家一起骑马到华阴庙，路过华封里，这里就是尧接受三祝的地方。庙里有很多秦槐汉柏，大的都有三四抱粗，其中有槐树抱柏树而生的，也有柏树抱槐树而长的。殿廷里面有很多古碑，内有陈希夷所写的"福"、"寿"等字。华山脚下有座玉泉院，这里就是陈希夷先生修仙成道的地方。里面有个石洞，只有一间小房子那么大，里面塑有先生卧在石床上的像。这里水净沙明，草多深红色，泉水流得比较急，外面修竹环绕。洞外有座方型的亭子，匾额上写着"无忧亭"。旁边有三棵古树，树纹像裂开的木炭一样，叶子像槐树但颜色比槐树深，不知道它叫什么名字，当地人就称它为"无忧树"。华山之高，不知道有几千丈，可惜未能带着干粮去攀登。回去的路上看到树林里柿子正黄，就在马上摘了一个来吃，当地人喊着制止，我没有听，嚼了之后觉得很涩，急忙吐掉，下马去找泉水漱口，这才能说话，当地人看到这个情景，大笑起来。原来柿子摘下来之后必须煮上一滚，才能去掉其涩味，我不知道要这样做。

十月初，琢堂自山东专人来接眷属，遂出潼关，由河南入鲁。山东济南府城内，西有大明湖①，其中有历下亭、水香亭诸胜②。夏月，柳阴浓处，菡萏③香来，载酒泛舟，极有幽趣。余冬日往视，但见衰柳寒烟，一水茫茫而已。趵突泉④为济南七十二泉之冠，泉分三眼，从地底怒涌突起，势如腾沸。凡泉皆从上而下，此独从下而上，亦一奇也。池上有楼，供吕祖像，游者多于此品茶焉。

[注释]

①大明湖：在今济南市中心偏东北处，是由城内泉水汇流而成的天然湖泊。

②历下亭：在今济南大明湖湖心岛上，因在历山之下而得名。水香亭：在大明湖东南。

③菡萏（hàn dàn）：荷花。

④趵突泉：又名"槛泉"，在今济南市中心，有"天下第一泉"之称。

[译文]

十月初，琢堂从山东专门派人来接眷属，于是大家一起出潼关，从河南进入山东。山东济南府城内，西边有大明湖，其中有历下亭、水香亭等名胜。夏天的时候，柳荫深处，飘来阵阵荷花的清香，在这里载酒泛舟，很有幽趣。我曾在冬天的时候去看，只见衰柳寒烟，一水茫茫而已。趵突泉是济南七十二泉之首，其泉分三眼,从地底下汹涌喷出,好像沸腾的水一样。一般的泉都是从上而下,独有这里是从下而上,这也是一个奇观。水池上有座楼,供奉的是吕洞宾祖师的神像,游览者多在这里品茶。

明年二月,余就馆莱阳①。至丁卯②秋,琢堂降官翰林,余亦入都。所谓登州海市③,竟无从一见。

[注释]

①莱阳:在今山东莱阳市。
②丁卯:1807年。
③登州:在今山东蓬莱市。海市:海市蜃楼。

[译文]

第二年的二月,我到山东莱阳坐馆。到丁卯年的秋天,琢堂被贬官,在翰林院供职,我也跟着他进京。人们所说登州的海市蜃楼,最终也无缘看到。

附 录

第五卷　中山记历

嘉庆四年，岁在己未，琉球国中山王尚穆薨。世子尚哲，先七年卒；世孙尚温，表请袭封。中朝怀柔远藩，锡以恩命，临轩召对，特简儒臣。

于是，赵介山先生，名文楷，太湖人，官翰林院修撰，充正使。李和叔先生，名鼎元，绵州人，官内阁中书，副焉。介山驰书，约余偕行，余以高堂垂老，惮于远游。继思游幕二十年，遍窥两戒，然而尚囿方隅之见，未观域外，更历瀛溟之胜，庶广异闻。禀商吾父，允以随往。从客凡五人：王君文诰，秦君元钧，缪君颂，杨君华才，其一即余也。

五年五月朔日，随笏节以行，祥飙送风，神鱼扶舳，计六昼夜，径达所届。凡所目击，咸登掌录。志山水之丽崎，记物产之瑰怪，载官司之典章，嘉士女之风节。文不矜奇，事皆记实。自惭谫陋，甘贻测海之嗤；要堪传信，或胜凿空之说云尔。

五月朔日，恰逢夏至，襆被登舟。向来封中山王，去以夏至，乘西南风；归以冬至，乘东北风，风有信也。舟二，正使与副使共乘其一。舟身长七丈，首尾虚艄三丈，深一丈三尺，宽二丈二尺。较历来封舟，几小一半。前后各一桅，长六丈有奇，围三尺。中舱前一桅，长十丈有奇，围六尺，以番木为之。通计二十四舱，舱底贮石，载货十一万斤有奇。龙口置大炮一，左右各置大炮二，兵器贮舱内。大桅下横大木为辘轳，移炮升篷皆仗之，辇以数十人。舱面为战台，尾楼为将台，立帜列藤牌，为使臣厅事。下即舵楼。舵前有小舱，实以沙布针盘。中舱梯而下，高可六尺，为使臣会食地。前舱贮火药贮米，后以居兵。稍后为水舱，凡四井。二号船称是。每船约二百六十余人，船小人多，无立锥处。风信已届，如欲易舟，恐延时日也。

初二日午刻，移泊鳌门。申刻，庆云见于西方，五色轮囷，适与楼船旗帜上下辉映，观者莫不叹为奇瑞。或如玄圭，或如白珂，或如灵芝，或如玉禾，或如绛绡，或如紫绽，或如文杏之叶，或如含桃之颗，或如秋原之草，或如春湘之波，向读屠长卿赋，今始知其形容之妙也。画士施生，为《航海行乐图》，甚工。余见兹图，遂乃搁笔。香崖虽善画，亦不能办此。

初四日亥刻，起碇。乘潮至罗星塔，海阔天空，一望无际。余妇芸娘，昔游太湖，谓得见天地之宽，不虚此生。使观于海，其愉快又当何如？

初九日卯刻，见彭家山，列三峰，东高而西下。申刻，见钓鱼台，三峰离立，如笔架，皆石骨。惟时水天一色，舟平而驶。有白鸟无数，绕船而送，不知所自来。入夜，星影横斜，月光破碎，海面尽作火焰，浮沉出没，木华《海赋》所谓"阴火潜然"者也。

初十日辰正，见赤尾屿。屿方而赤，东西凸而中凹，凹中又有小峰二。船从山北过，有大鱼二，夹舟行，不见首尾，脊黑而微绿，如十围枯木，附于舟侧。舟人以为风暴将起，鱼先来护。午刻，大雷雨以震，风转东北，舵无主。舟转侧甚危，幸而大鱼附舟，尚未去。忽闻霹雳一声，风雨顿止。申刻，风转西南且大。合舟之人，举手加额，咸以为有神助。得二诗以志之。诗云：

　　平生浪迹遍齐州，又附星槎作远游。
　　鱼解扶危风转顺，海云红处是琉球。

白浪滔滔撼大荒，海天东望正茫茫。
　　此行足壮书生胆，手挟风雷意激昂。

自谓颇能写出尔时光景。

十一日，午刻，见姑米山。山共八岭，岭各一、二峰，或断或续。未刻，大风暴雨如注，然雨虽暴而风顺。酉刻，舟已近山。琉球人以姑米多礁，黑夜不敢进，待明而行。亦不下碇，但将篷收回，顺风而立，则舟荡漾而不能进退。戌刻，舟中举号火，姑米山有火应之。询之为球人暗令：日则放炮，夜则举火。《仪》注所谓得信者，此也。

十二日，辰刻，过马齿山。山如犬羊相错，四峰离立，若马行空。计又行七更，船再用甲寅针，取那霸港。回望见迎封船在后，共相庆幸。历来针路所见，尚有小琉球、鸡笼山、黄麻屿，此行俱未见。闻知琉球夥长，年已六十，往来海面八次，每度细审，得其准的。以为不出辰卯二位，而乙卯位单，乙针尤多，故此次最为简捷，而所见亦仅三山，即至姑米。针则开洋用单辰，行七更后，用乙辰，自后尽用乙。过姑米，乃用乙卯。惟记更以香，殊难凭准。念五虎门至官塘，里有定数，因就时辰表按时计里，每时约行百有十里。自初八日未时开洋，讫十二日辰时，计共五十八时。初十日，暴风停两时。十一日夜，畏触礁，停三时，实行五十三时，计程应得五千八百三十里。计到那霸港，实洋面六千里有奇。

据琉球夥长云，海上行舟，风小固不能驶，风过大，亦不能驶。风大则浪大，浪大力能壅船，进尺仍退二寸。惟风七分，浪五分，最宜驾驶，此次是也。从来渡海，未有平稳而驶如此者。于时，球人驾独木船数十，以纤挽舟而行，迎封三接如仪。辰刻，进那霸港。先是，二号船于初十日望不见，至是乃先至。迎封船亦随后至，齐泊临海寺前。夥长云，从未有三舟齐到者。

午刻，登岸。倾国人士，聚观于路，世孙率百官迎诏如仪。世孙年十七,白皙而丰颐,仪度雍容,善书,颇得松雪笔意。

按《中山世鉴》,隋使羽骑尉朱宽至国,于万涛间,见地形如虬龙浮水,始曰"流虬"。而《隋书》又作"流求",《新唐书》作"流鬼",《元史》又作"瑠求",明复作"琉球"。《世鉴》又载,元延祐元年,国分为三大里,凡十八国,或称山南王,或称山北王。余于中山、南山,游历几遍,大村不及二里,而即谓之国,得勿夸大乎?

琉人每言大风,必曰飓颶。按韩昌黎诗"雷霆逼飓颶",是与飓同称者为颶。《玉篇》:"颶,大风也,于笔切。"《唐书·百官志》:"有飓海道,或系球人误书。"《隋书》称琉球有虎、狼、熊、罴,今实无之。又云,无牛羊驴马。驴诚无,而六畜无不备。乃知书不可尽信也。

天使馆西向,仿中华廨署,有旗竿二,上悬册封黄旐。有照墙,有东西辕门,左右有鼓亭,有班房。大门署曰"天使馆",门内廊房各四楹。仪门署曰"天泽门",万历中使臣夏子阳题,年久失去,前使徐葆光补出。门内左右各十一间,中有甬道,道西榕树一株,大可十围,徐公手植。最西者为厨房,大堂五楹,署曰"敷命堂",前使汪楫题。稍北,葆光额曰"皇纶三锡"。堂后有穿堂,直达二堂。堂五楹,中为正副使会食之地,前使周公署曰"声教东渐"。左右即寝室。堂后南北各一楼,南楼为正使所居,汪楫额曰"长风阁"。北楼为副使所居,前使林麟焻额曰"停云楼"。额北有诗牌,乃海山先生所题也。周砺礁石为垣,望同百雉。垣上悉植火凤,干方,无花有刺,似霸王鞭,叶似慎火草,俗谓能避火,名吉姑罗。南院有水井。楼皆上覆瓱,下砌方砖,院中平似砂,桌椅床帐悉仿中国式。寄尘得诗四首,有句云:"相看楼阁云中出,即是蓬莱岛上居。"又有句云:"一舟蔚径凭风信,五日飞帆驻月楂。"皆真情真境也。

孔子庙在久米村。堂三楹,中为神座,如王者垂旒搢圭,而署其主曰"至圣先师孔子神位"。左右两龛，龛二人立侍，各手一经，标曰"易"、"书"、"诗"、"春秋"，即所谓四配也。堂外为台，台东西，拾级以登，栅如棂星门，中仿戟门，半树塞以止行者。其外临水为屏墙。堂之东，为明伦堂，堂北祀启圣。久米士之秀者，皆肄业其中。择文理精通者为之师，岁有廪给，丁祭一如中国仪。敬题一诗云："洋溢声名四海驰，岛邦也解拜先师。庙堂肃穆垂旒贵，圣教如今洽九夷。"用伸仰止之忱。

国中诸寺，以圆觉为大。渡观莲塘桥，亭供辨才天女，云即斗姥。将入门，有池曰"圆鉴"，荇藻交横，芰荷半倒。门高敞，有楼翼然。左右金刚四，规模略仿中国。佛殿七楹，更进，大殿亦七楹，名龙渊殿。中为佛堂，左右奉木主，亦祀先王神位，兼祀祧主。左序为方丈，右序为客座，皆设席。周缘以布，下衬极平而净，名曰"踏脚绵"。方丈前，为蓬莱庭。左为香积厨，侧有井，名"不冷泉"。客座右为古松岭，异石错舛，列于松间。左厢为僧寮，右厢为狮子窟。僧寮南，有乐楼。楼南有园，绕花木。此圆觉寺之胜概也。

又有护国寺，为国王祷雨之所。龛内有神，黑而裸，手剑立，状甚狰狞。有钟，为前明景泰七年铸。寺后多凤尾蕉，一名铁树。又有天王寺，有钟，亦为景泰七年铸。又有定海寺，有钟，为前明天顺三年铸。至于龙渡寺、善兴寺、和光寺，荒废无可述者。

此邦海味，颇多特产，为中国之所罕见。一石鉅，似墨鱼而大，腹圆如蜘蛛，双须八手，攒生两肩，有刺，类海参，无足，无鳞介，如鲍鱼。登莱有所谓八带鱼者，以形考之，殆是石鉅，或即乌鲗之别种欤？

一海蛇，长三尺，僵直如朽索，色黑，状狰狞，土人云：能杀虫、疗痼、已疠，殆永州异蛇类。土俗甚重之，以为贵品。

一海胆，如猬，剥皮去肉，捣成泥，盛以小瓶，可供馔。

一寄生螺，大小不一，长圆各异，皆负壳而行。螺中有蟹，两螯八跪，跪四大四小，以大跪行；螯一大一小，小者常隐，大者以取食。觸之则大跪尽缩，以一大螯拒户。蟹也而有螺性，《海赋》所云"璅蛣腹蟹"，岂其类欤？《太平广记》谓"蟹入螺中"，似先有蟹。然取置碗中，以观其求脱之势，力猛壳脱，顷刻死，则又与壳相依为命。造物不测，难以臆度也。

一沙蟹，阔而薄，两螯大于身。甲小而缺其前，缩两螯以补之，若无缝。八跪特短，脐无甲，尖团莫辨。见人则凹双睛，噀水高寸许，似善怒。养以沙水，经十余日，不食亦不死。

一蚶，径二尺以上，围五尺许，古人所谓"屋瓦子"，以壳形凹凸，像瓦屋也。

一海马肉，薄片回屈如刨，花色如片茯苓。品之最贵者，不易得，得则先以献王。其状鱼身马首，无毛而有足，皮如江豚。此皆海味之特产也。

此邦果实，亦有与中国不同者。蕉实状如手指，色黄，味甘，瓣如柚，亦名甘露。初熟色青，以糖覆之则黄。其花红，一穗数尺。瓣须五六出，岁实为常，实如其须之数。中国亦有蕉，不闻岁结实，亦无有抽其丝作布者，或其性殊欤？

布之原料，与制布之法，亦有与中国异者。一曰蕉布，米色，宽一尺，乃芭蕉沤抽其丝织成，轻密如罗。

一曰苎布，白而细，宽尺二寸，可敌棉布。

一曰丝布，白而棉软，苎经而丝纬，品之最尚者。《汉书》所谓蕉、筒、荃、葛，即此类也。

一曰麻布，米色而粗，品最下矣。国人善印花，花样不一，皆剪纸为范。加范于布，涂灰焉。灰干去范，乃着色。干而浣之，灰去而花出，愈浣而愈鲜，衣敝而色不退。此必别有制法，秘不语人。故东洋花布，特重于闽也。

此邦草木，多与中国异称，惜未携《群芳谱》来，一一辨证之耳。罗汉松谓之樫木，冬青谓之福木，万寿菊谓之禅菊，铁树谓之凤尾蕉，以叶对出形似也；亦谓之海棕榈，以叶盖头形似也。有携至中华以为盆玩者，则谓之万年棕云。凤梨，开花者谓之男木，白瓣若莲，颇香烈，不实；无花者谓之女木，而实大，如瓜可食。或云，即波罗蜜别种，球人又谓之"阿呾呢"。月橘，谓之十里香，叶如枣，小白花，甚芳烈，实如天竹子，稍大。闻二月中，红累累满树，若火齐然。惜余未及见也。

球阳地气多暖，时届深秋，花草不杀，蚊雷不收，荻花盛开。野牡丹，二、三月花，至八月复复，花累累如铃铎，素瓣，紫晕，檀心，圆而大，颇芳烈。佛桑四季皆花。有白色，有深红、粉红二色。因得一诗，诗云："偶随使节泛仙槎，日日春游玩物华。天气常如二三月，山林不断四时花。"亦真情真景也。

球人嗜兰，谓之孔子花。陈宅尤多异产。有风兰，叶较兰稍长，篾竹为盆，挂风前，即蕃衍。有名护兰，叶类桂而厚，稍长如指，花一箭八、九出，以四月开，香胜于兰，出名护岳岩石间，不假水土，或寄树桠，或裹以棕而悬之，无不茂。有粟兰，一名芷兰，叶如凤尾花，作珍珠状。有棒兰，绿色，茎如珊瑚，无叶，花出桠间，如兰而小，亦寄树活。又有西表松兰、竹兰之目，或致自外岛，或取之岩间，香皆不减兰也。因得一诗，诗云："移根绝岛最堪夸，道是森森阙里花。不比寻常凡草木，春风一到即繁华。"题诗既毕，并为写生，愧无黄筌之妙笔耳。

沿海多浮石，嵌空玲珑，水击之，声作钟磬。此与中国彭蠡之口石钟山相似。

闲居无可消遣，与施生弈，用琉球棋子。白者磨螺之封口石为之。内地小螺拒户有圆壳，海蟛大者，其拒户之壳，厚五、六分，径二寸许，圆白如砗磲，土人名曰"封口石"。黑者磨苍石为之，子径六分许，圆二寸许，中凸而四周削，无正背面，不类云南子式。棋盘以木为之，厚八寸，四足，足高四寸，而刻棋路。其俗好弈，举棋无不定之说，颇亦有国手。局终数空眼多少，不数实子，数正同。相传国中供奉棋神，画女相如仙子，不令人见，乃国中雅尚也。

六月初八日辰刻，正、副使恭奉谕祭文，及祭银焚帛，安放龙彩亭内。出天使馆东行，过久米林、泊村，至安里桥（即真玉桥）。世孙跪接如仪，即导引入庙。礼毕，引观先王庙。正庙七楹，正中向外，通为一龛，安奉诸王神位。左昭自舜马至尚穆，共十六位；右穆自义本至尚敬，共十五位。是日，球人观者，弥山匝地，男子跪于道左，女子聚立远观。亦有施帷挂竹帘者，土人云系贵官眷属。女皆黥首指节为饰，甚者全黑，少者间作梅花斑。国俗不穿耳，不施脂粉，无珠翠首饰。

人家门户，多树"石敢当"碣，墙头多植吉姑罗或楺树，剪剔极齐整。国人呼中国为唐山，呼华人为唐人。球地皆土沙，雨过即可行，无泥泞。

奥山有却金亭，前明册使陈给事侃归时却金，故国人造亭以表之。

辨岳在王宫东南三里许。过圆觉寺，从山脊行，水分左右，堪舆家谓之过峡，中山来脉也。山大小五峰，最高者谓之辨岳。灌木密覆，前有石柱二，中置栅二，外板阁二。少左，有小石塔，左右列石案五。折而东，数十级至顶，有石垆二：西祭山，东祭海。岳之神，曰祝，祝谓是天孙氏第二女云。国王受封，必斋戒亲祭，正、五、九月，祭山海及护国神，皆在辨岳也。

波上、雪崎及龟山，余已游遍，而要以鹤头为最胜。随正、副使往游，陟其巅，避日而坐。草色粘天，松阴匝地。东望辨岳，秀出天半，王宫历历如画。其南，则近水如湖，远山如岸，丰见城巍然突出，山南王之旧迹犹有存者。西望马齿、姑米，出没隐见，若近若远，封舟之来路也。北俯那霸、久米，人烟辐辏。举凡山川灵异，草木阴翳，鱼鸟沉浮，云烟变灭，莫不争奇献巧，毕集目前。乃知前日之游，殊为卤莽。梁大夫小具盘樽，席地而饮，余亦趣仆以酒肴至。未申之交，凉风乍生，微雨将洒，乃移樽登舟。时海潮正涨，沙岸弥漫，遂由奥山南麓折而东北。山石嵌空欲落，海燕如鸥，渔舟似织。俄而返照入山，冰轮山水，文鳐无数，飞射潮头。与介山举觞弄月，击楫而歌。樽不空，客皆醉。越渡里村，漏已三下。却金亭前，列炬如昼，迎者倦矣。乃相与步月而归，为中山第一游焉。

泉崎桥桥下，为漫湖浒。每当晴夜，双门供月，万象澄清，如玻璃世界，为中山八景之一。旺泉味甘，亦为中山八景之一。王城有亭，依城望远，因小憩亭中，品瑞泉，纵观中山八景。八景者，泉崎夜月、临海潮声、久米村竹篱、龙洞松涛、笋崖夕照、长虹秋霁、城岳灵泉、中岛蕉园也。亭下多棕榈、紫竹。竹丛生，高三尺余，叶如棕，狭而长，即所谓观音竹也。亭南有蚶壳，长八尺许，贮水以供盥，知大蚶不易得也。

国人浣漱不用汤，家竖石桩，置石盂或蚶壳其上，贮水，旁置一柄筒，晓起，以筒盛水，浇而盥漱之。客至亦然。地多草，细软如毯，有事则取新沙覆之。国人取玳瑁之甲，以为长簪，传至中国，率由闽粤商贩。球人不知贵，以为贱品。昆山之旁，以玉抵鹊，地使然也。

丰见山顶，有山南王第故城。徐葆光诗有"颓垣宫阙无全瓦，荒草牛羊似破村"之句。王之子孙，今为那姓，犹聚居于此。

辻山，国人读为"失山"。琉球字皆对音，十失无别，疑迭之误也。副使辑《球雅》，谓一字作二、三字读，二、三字作一字读者，皆义而非音，即所谓寄语，国人尽知之。音则合百余字，或十余字为一音，与中国音迥异。国中惟读书通文理者，乃知对音，庶民皆不知也。

久米官之子弟，能言，教以汉语；能书，教以汉文。十岁称若秀才，王给米一石。十五薙发，先谒孔圣，次谒国王。王籍其名，谓之秀才，给米三石。长则选为通事，为国中文物声名最，即明三十六姓后裔也。那霸人以商为业，多富室。明洪武初，赐闽人三十六姓善操舟者，往来朝贡。国中久米村，梁、蔡、毛、郑、陈、曾、阮、金等姓，乃三十六姓之裔，至今国人重之。

与寄公谈玄理，颇有入悟处，遂与唱和成诗。法司蔡温、紫金大夫程顺则、蔡文溥，三人集诗，有作者气。顺则别著《航海指南》，言渡海事甚悉。蔡温尤肆力于古文，有《蓑翁语录》、《至言》等目，语根经学，有道学气。出入二氏之学，盖学朱子而未纯者。

琉球山多瘠硗，独宜薯。父老相传，受封之岁，必有丰年。今岁五月稍旱，幸自后雨不愆期，卒获大丰，薯可四收。海邦臣民，倍觉欢欣。金曰："非受封岁，无此丰年也。"

六月初旬，稻已尽收。球阳地气温暖，稻常早熟，种以十一月，收以五、六月。薯则四时皆种，三熟为丰，四熟则为大丰。稻田少，薯田多，国人以薯为命，米则王官始得食。亦有麦豆，所产不多。五月二十日，国中祭稻神。此祭未行，稻虽登场，不敢入家也。

七月初旬，始见燕，不巢人屋。中国燕以八月归，此燕疑未入中国者。其来以七月，巢必有地。别有所谓海燕，较紫燕稍大，而白其羽，有全白似鸥者。多巢岛中，间有至中国，人皆以为瑞。应潮鸡，雄纯黑，雌纯白，皆短足长尾，驯不避人。香崖购一小犬，而毛豹斑，性灵警，与饭不食，与薯乃食，知人皆食薯矣。鼠雀最多，而鼠尤虐。亦有猫，不知捕鼠，邦人以为玩。乃知物性亦随地而变。鹰、雁、鹅、鸭特少。

枕有方如圭者，有圆如轮而连以细轴者，有如文具藏数层者，制特精，皆以木为之。率宽三寸，高五寸。漆其外，或黑或朱。立而枕之，反侧则仆。按《礼记·少仪》注："颖，警枕也。谓之颖者，颖然警悟也。"又司马文正公，以圆木为警枕，少睡则转而觉，乃起读书。此殆警枕之遗。

衣制皆宽博交衽，袖广二尺，口皆不缉，特短袂，以便作事。襟率无钮带，总名衾。男束大带，长丈六尺、宽四寸以为度。腰围四、五转，而收其垂于两胁间。烟包、纸袋、小刀、梳、篦之属，皆怀之，故胸前襟带皱起凸然。其胁下不缝者，惟幼童及僧衣为然。僧别有短衣如背心，谓之断俗，此其概也。

帽以薄木片为骨，叠帕而蒙之，前七层，后十一层。花锦帽，远望如屋漏痕者，品最贵，惟摄政王叔国相得冠之。次品花紫帽，法司冠之。其次则纯紫。大略紫为贵，黄次之，红又次之，青绿斯下。各色又以绫为贵，绢为次。国王未受封时，戴乌纱帽。双翅，侧冲上向，盘金，朱缨垂颔，下束五色绦。至是冠皮弁，状如中国梨园演王者便帽，前直列花瓣七，衣蟒腰玉。

肩舆如中国饼轿，中置大椅，上施大盖，无帷幔，辕粗而长，无绊，无横木，以八人左右肩之而行。

杜氏《通典》载琉球国俗，谓妇人产必食子衣，以火自炙，令汗出。余举以问杨文凤："然乎？"对曰："火炙诚有之，食衣则否。"即今中山已无火炙俗，惟北山犹未尽改。

嫁娶之礼，固陋已甚。世家亦有以酒肴珠贝为聘者。婚时即用本国轿，结彩鼓乐而迎。不计妆奁，父母送至夫家即返。不宴客，至亲具酒贺，不过数人。《隋书》云琉球风俗："男女相悦，便相匹偶。"盖其旧俗也。询之郑得功，郑得功曰："三十六姓初来时，俗尚未改。后渐知婚礼，此俗遂革。今国中有夫之妇，犯奸即杀。"余始悟琉球所以号守礼之国者，亦由三十六姓教化之力也。

小民有丧，则邻里聚送，观者护丧，掩毕即归。宦家则同官相知者，亦来送柩。出即归，大都不宴客。题主官率皆用僧，男书"圆寂大禅定"，女书"禅定尼"，无考妣称。近日宦家亦有书官爵者。棺制三尺，屈身而殓之。近宦家亦有长五、六尺者，民则仍旧。

此邦之人，肘比华人稍短，《朝野佥载》亦谓人形短小似昆仑。余所见士大夫短小者固多，亦有修髯丰颐者，颀而长者。胖而腹腰十围者，前言似未足信。人体多狐臭，古所谓愠羝也。

世禄之家皆赐姓。士庶率以田地为姓，更无名，其后裔则云某氏之子孙几男。所谓田、米，私姓也。

国中兵刑惟三章：杀人者死，伤人及重罪徒，轻罪罚日中晒之。计罪而定其日，国中数年无斩犯。间有犯斩罪者，又率引刀自剖腹死。

七月十五夜，开窗，见人家门外，皆列火炬二。询之土人，云："国俗于十五日盆祭，预期迎神，祭后乃去之。"盆祭者，中国所谓盂兰会也。连日见市上小儿，各手一纸幡，对立招展，作迎神状。知国俗盆祭祀先，亦大祭矣。

龟山南岸有窑，国人取车螯大蚶之壳以煅，墁灰壁不及石灰，而粘过者。再东北有池，为国人煮盐处。

七月二十五日，正、副使行册封礼，途中观者益众。上万松岭，迤逦而东。衢道修广，有坊，榜曰"中山道"。又进一坊，榜曰："守礼之邦"。世孙戴皮弁，服蟒衣，腰玉带，垂裳结佩，率百官跪迎道左。更进为欢会门，踞山巅，叠礁石为城，削磨如壁，有鸟道，无雉堞，高五尺以上，远望如聚髑髅。始悟《隋书》所谓王居多聚髑髅于其下者，乃远望误于形似，实未至城下也。城外石崖，左镌"龙冈"字，右镌"虎崒"字。王宫西向，以中国在海西，表忠顺面向之意。后东向为继世门，左南向为水门，右北向为久庆门。再进层崖，有门西北向，曰瑞泉，左右甬道，有左掖、右掖二门。更进有漏西向，榜曰"刻漏"，上设铜壶漏水。更进有门西北向，为奉神门，即王府门也。殿廷方广十数亩，分砌二道，由甬道进至阙廷，为王听政之所。壁悬伏羲画卦像，龙马负图立其前，绢色苍古，微有剥蚀，殆非近代物。北宫殿屋固朴，屋举手可接，以处山冈，且阻海飓。面对为南宫。此日正、副使宴于北宫。大礼既成，通国欢忭。闻国王经行处，悉有彩饰。泉崎道旁，列盆花异卉，绕以朱栏，中刻木作麒麟形，题曰"非龙非彪，非熊非罴，王者之瑞兽"。天妃宫前，植大松六，叠假山四，作白鹤二，生子母鹿三。池上结棚，覆以松枝，松子垂如葡萄。池中刻木鲤大小五，令浮水面。环池以竹，栏旁有坊，曰"偕乐坊"。柱悬一版，题曰"鹿濯濯，鸟嚶嚶，牣鱼跃"。归而述诸副使，副使曰："此皆《志略》所载，事隔数十年，一字不易，可谓印板文字矣。"从客皆笑。

宜野湾县有龟寿者，事继母以孝，国人莫不闻。母爱所生子，而短龟寿于其父伊佐前，且不食以激其怒。伊佐惑之，欲死龟寿，将令深夜汲北宫，要而杀之。仆匿龟寿于家，往谏伊佐，伊佐缚而放之。且谓事已露，不可杀，乃逐龟寿。龟寿既被放，欲自尽，又恐张母恶。值天雨雹，病不支，僵卧于路。巡官见之，近而抚其体犹温，知未死，覆以己衣，渐苏。徐诘其故，龟寿不欲扬父母之恶，饰词告之。初，巡官闻孝子龟寿被放，意不平。至是见言语支吾，疑即龟寿。赐衣食令去，密访得其状。乃传集村人，系伊佐妻至，数其罪而监之。将告于王，龟寿愿以身代。巡官不忍伤孝子心，召伊佐夫妇面谕之。妇感悟，卒为母子如初。副使既为之记，余复为诗以表章之。诗云："轺轩问俗到球阳，潜德端须为阐扬。诚孝由来能感格，何殊闵损与王祥。"以为事继母而不能尽孝者劝。

经迭山墟，方集，因步行集中。观所市物，薯为多，亦有鱼、盐、酒、菜、陶、木器、蕉苎、土布，粗恶无足观者。国无肆店，率业于其家。市货以有易无，不用银钱。闻国中率用日本宽永钱，比来亦不见。昨香崖携示串钱，环如鹅眼，无轮廓，贯以绳，积长三寸许，连四贯而合之，封以纸，上有钤记。此球人新制钱，每封当大钱十。盖国中钱少，宽永钱铜质较美，恐或有人买去，故收藏之，特制此钱应用，市中无钱以此。

国中男逸女劳，无有肩担背负者。趋集、织纫，及采薪、运水，皆妇人主之，凡物皆戴之顶。

女衣既无钮无带，又不束腰，而国俗男女皆无裤，势须以手曳襟。襟较男衣长，叠襟下为两层，风不得开。因悟髻必偏坠者，以手既曳襟，须空其顶以戴物。童而习之，虽重百斤，登山涉涧，无倾侧，是国中第一绝技也。其动作时，常卷两袖至背，贯绳而束之。发垢辄洗，洗用泥。脱衣结于腰，赤身低头，见人亦不避。抱儿惟一手，又置腰间，即藉以曳襟。

东苑在崎山，出欢会门，折而北。逐瑞泉下流，至龙渊桥，汇而为池，广可十丈，长可数十丈，捍以堤，曰"龙潭"。水清鱼可数，荷叶半倒。再折而东，有小村，篠屏修整，松盖阴翳，薄云补林，微风啸竹，园外已极幽趣。入门，板亭二，南向。更进而南，屋三楹，亭东有阜如覆盂。折而南，有岩西向，上镌梵字。下蹲石狮一，饰以五彩。再下，有小方池，凿石为龙首，泉从口出。有金鱼池，前竹万竿，后松百挺。再东，为望仙阁。前有"东苑阁"，后为"能仁堂"。东北望海，西南望山。国中形胜，此为第一。

南苑之胜，亦不减于东苑。越中马富盛，折而东，循行阡陌间，水田漠漠，番薯油油，绝无秋景。薯有新种者，问知已三收矣。再入山，松阴夹道，茅屋参差，田家之景可画。计十余里，始入苑村，名姑场川，即"同乐苑"也。苑踞山脊，轩五楹，夹室为复阁，颇曲折。轩前有池，新凿，狭而东西长，叠礁为桥。桥南新阜累累，因阜以为亭，宜远眺。亭东植奇花异卉。有花绝类蝴蝶，绛红色，叶如嫩槐，曰"蝴蝶花"。有松叶如白毛，曰"白发松"。池东，旧有亭圮，以布代之。池西，有阁，颇轩敞，四面风来，宜纳凉。有阁曰"迎晖"，有亭曰"一览"，即正、副使所题也。轩北有松，有凤蕉，有桃，有柳。黄昏举烟火，略同中国。

余偕寄尘游波上。板阁无他神，惟挂铜片幡，上凿"奉寄御币"

字，后署云"元和二年壬戌"。或疑为唐时物，非也。按，元和二年为丁亥，非壬戌也。日本马场〔信〕武撰《八卦通变指南》，内列"三元指掌"，云："上元起永禄七年甲子，止元和三年癸亥，如元起宽永元年甲子，止元和三年癸亥；下元起贞享元年甲子。今元禄十六年癸未。"国中既行宽永钱，证以元和日本僭号，知琉球旧曾奉日本正朔，今讳言之欤。

纸鸢制无精巧者，儿童〔亦〕多立屋上放之。按中国多放于清明前，义取张口仰视，宣导阳气，〔可〕令儿少疾。今放于九月，以非九月纸鸢不能上，则风力与中国异。即〔以〕此可验球阳气暖，故能十月种稻。

国俗男欲为僧者，〔亦〕听。既受戒，有廪给。有犯戒者，饬令还俗，放之别岛。女子愿为士〔之〕妓者，亦听。接交外客，女之兄弟，仍与外客叙亲往来，然率皆贫民〔女〕，故不以为耻。若已嫁夫而复敢犯奸者，许女之父兄自杀之，不以〔罪〕告王。即告王，王亦不赦。此国中良贱之大防，所以重廉耻也。

此邦有红衣妓〔，〕与之言不解。按拍清歌，皆方言也。然风韵亦正，有佳者，殆不减惠〔□园。近忽因事他迁，以扇索诗，因题二诗以赠之。诗云："芳龄二八〔□〕最风流，楚楚腰身剪剪眸。手抱琵琶浑不语，似曾相识在苏州。""新愁旧恨感千端，再见真如隔世难。可惜今宵好明月，与谁共卷绣帘看？"

国人率恭〔敬〕谨，有所受，必高举为礼。有所敬，则俯身搓手而后膜拜。劝尊者酒，酌而置杯于指尖以为敬，平等则置手心。

此邦屋〔宇〕俱不高，瓦必虒，以避飓也。地板必去地三尺，以避湿也。屋脊四〔出〕出，如八角亭。四面接修，更无重构复室，以省材也。屋无门户，〔以〕省便，恃〔以〕上限刻双沟，设方格，糊以纸，左右推移，更不设暗闩，利无盗也，临街则设矣。神龛置青石于炉，实以砂，祀祖神也。国以〔□〕石为神，无传真也。瓦上瓦狮，《隋书》所谓"兽头骨角"也。壁〔□〕无粉墁，示朴也。贵家间有糊砑粉花笺，习华风，渐奢也。

龟山有峰独出，与众山绝。前阻□小峰，离约二丈许。邦人驾石为洞，连二山，高十丈余，结布幔于洞□东。不憩，拾级而登，行洞上。又十余级，乃陟巅。巅恰容一楼，楼□□名，四面轩豁，无户牖。副使谓余曰："兹楼俯中山之全势，不可无□名。"因名之曰"蜀楼"，并为之跋曰："蜀者何？独也。楼何以蜀名□，以其踞独山也。"不曰独而曰蜀者，以副使为蜀人。楼构已百年，而□副使乃名之，若有待也。楼左瞰青畴，右扶苍石，后临大海，前挹□中山，坐其中以望，若建瓴焉。余又请于副使曰："额不可无联。"副使因书前四语付之。归路，循海而西，崖洞溪壑，皆奇峭，是又一胜游□矣。

越南山，度丝满村，人家皆面海，奇石□林立。遵海而西，有山，翠色攒空，石骨穿海，曰砂岳。时午潮初退，□白石鳞鳞，群马争驰，飞溅如雨。再西，度大岭村，丛棘为篱，渔网□数百晒其上。村外水田漠漠，泥淖陷马，有牛放于冈。汪《录》谓马□并无牛，今不尽然也。

本岛能中山语者，给黄帽，为酋长。岁遣亲□云上，监抚之，名奉行官，主其赋讼，各赋其土之宜，以贡于王。间□切者，外府之谓。首里、泊、久来、那霸四府为王畿，故不设。此外皆□设，职在亲民，察其村之利弊，而报于亲云上。间切，略如中国知□。中山属府十四，间切十，山南省属府十二，山北省属府九，间切如□其府数。

国俗自八月初十至十五日，并蒸米，拌赤小豆，□为饭相饷，以祭月，风同中国。是夜，正、副使邀从客露饮。月光澄□水，天色拖蓝，风寂动息，潮声杂丝肉声，自远而至。恍置身三山，□子晋吹笙，麻姑度曲，万缘俱静矣。宇宙之大，同此一月。回忆昔日□萧爽楼中，良宵美景，轻轻放过，今则天各一方，能无对月而兴怀乎？

世传八月十八日，为潮生辰。国俗，于是夜候潮波上□。子刻，偕寄尘至波上，草如碧毯，沾露愈滑，扶仆行，凭垣倚石而□坐。丑刻，潮始至，若云峰万叠，卷海飞来。须臾，腥气大盛，水怪□风，金蛇掣电，天柱欲折，地轴暗摇，雪浪溅衣，直高百尺，未敢□窥鲛宫，已若有推而起之者。迷离惝恍，千态万状。观此，乃知枚乘《七发》，犹形容未尽也。潮既退，始闻噌吰之声出礁石间。徐步至护国寺，尚似有雷霆震耳。潮至此，观止矣。

元旦至六日，贺节。初五日，迎灶。二月，祭麦神。十二日，浚井，汲新水，俗谓之洗百病。三月三日，作艾糕。五月五日，竞渡。六月六日，国中作六月节，家家蒸糯米，为饭相饷。十二月八日，作糯米糕，层裹棕叶，蒸以相饷，名曰"鬼饼"。二十四日，送灶。正、三、五、九为吉月，妇女率游海畔，拜水神祈福。逢朔日，群汲新水献神，此其略也。余独疑国俗敬佛，而不知四月八日为佛诞辰。腊八鬼饼如角黍，而不知七宝粥。

国王送菊二十余盆，花叶并茂，根际皆以竹签标名。内三种尤异类：一名"金锦"，朵兼红、黄、白三色，小而繁，灿如列星；一名"重宝"，瓣如莲而小，色淡红；一名"素球"，瓣宽，不类菊，重叠千层，白如雪。皆所未见者，媵之以诗，诗云："陶篱韩圃多秋色，未必当年有此花。似汝幽姿真可惜，移根无路到中华。"

见狮子舞，布为身，皮为头，丝为尾，剪彩如毛饰其外，头尾口眼皆活，镀睛贴齿。两人居其中，俯仰跳跃，相驯狎欢腾状。余曰："此近古乐矣。"按《旧唐书·音乐志》，后周武帝时，造太平乐，亦谓之五方狮子舞。白乐天《西凉妓》云："假面夷人弄狮子，刻木为头丝作尾。金镀眼睛银贴齿，奋迅毛衣罢双耳。"即此舞也。

此邦有所谓"踏柁戏"者，横木以为梁，高四尺余，复置板而横之，长丈有二尺，虚其两端，均力焉。夷女二，结束衣彩，赤双足，各手一巾，对立相视而歌。歌未竟，跃立两端。稍作低昂，势若水碓之起伏，渐起渐高。东者陡落而激之，则西飞起三丈余，翩翩若轻燕之舞于空也。西者落而陡激之，则东者复起，又如鸷鸟之直上青云也。叠相起伏，愈激愈疾，几若山鸡舞镜，不复辨其孰为影，孰为形焉。俄焉，势渐衰，机渐缓，板末乃安，齐跃而下，整衣而立。终戏，无虚蹈方寸者，伎至此绝矣。

接送宾客颇真率，无揖让之烦。客至不迎，随意坐。主人即具烟架、火炉、竹筒、木匣各一，横烟管其上，匣以烟，筒以弃灰也。遇所敬客，乃烹茶。以细末粉少许，杂茶末，入沸水半瓯，搅以小竹帚，以沫满瓯面为度。客去，亦不送。贵官劝客，常以箸蘸浆少许，纳客唇以为敬。烧酒着黄糖则名福，着白糖则名寿，亦劝客之一贵品也。

重阳具龙舟竞渡于龙潭。琉球亦于五月竞渡，重阳之戏，专为宴天使而设。因成三诗以志之，诗云："故园辜负菊花黄，万里迢迢在异乡。舟泛龙潭看竞渡，重阳错认作端阳。""去年秋在洞庭湾，亲摘黄花插翠鬟。今日登高来海外，累伊独上望夫山。""待将风信泛归槎，犹及初冬好到家。已误霜前开菊宴，还期雪里访梅花。"

闻程顺则曾于津门购得宋朱文公墨迹十四字，今其后裔犹宝之。借观不得，因至其家。开卷，见笔势森严，如奇峰怪石，有岩岩不可犯之色，想见当日道学气象。字径八寸以上，文曰"香飞翰苑围川野，春报南桥叠萃新"。后有名款，无岁月。文公墨迹流传世间者，莫不宝而藏之。盖其所就者大，笔墨乃其余事，而能自成一家言如此。知古人学力，无所不至也。

又游蔡清派家祠。祠内供蔡君谟画像，并出君谟墨迹见示，知为君谟的派，由明初至琉球，为三十六姓之一。清派能汉语，人亦倜傥。由祠至其家，花木俱有清致，池圆如月，为额其室曰："月波大屋。"

大抵球人工剪剔树木，叠砌假山，故士大夫家率有丘壑以供游览。庭中树长竿，上置小木舟，长二尺，桅舵帆橹皆备。首尾风轮五叶，挂色旗以候风。渡海之家，率预计归期。南风至，则合家欢喜，谓行人当归。归则撤之，即古五两旗遗意。

国王有墨长五寸，宽二寸。有老坑端砚，长一尺，宽六寸，有

"永乐四年"字。砚背有"七年四月东坡居士留赠潘邻老"字。问知为前明受赐物。国中有东坡诗集，知王不但宝其砚矣。

棉纸、清纸，皆以谷皮为之，恶不中书者。有护书纸，大者佳，高可三尺许，阔二尺，白如玉；小者减其半。亦有印花诗笺，可作札。别有围屏纸，则糊壁用矣。徐葆光《球纸》诗云："冷金入手白于练，侧理海涛凝一片。昆刀截截径尺方，叠雪千层无幂面。"形容殆尽。

南炮台间，有碑二：一正书，剥蚀甚微，"奉书造"三字；一其国学书。前朝嘉靖二十一年建，惟不能尽识。其笔力正自遒劲飞舞。

有木曰山米，又名野麻姑。叶可染，子如女贞，味酸，土人榨以为醋。球醋纯白，不甚酸，供者以为米醋，味不类，或即此果所榨欤？

席地坐，以东为上，设毡。食皆小盘，方盈尺，着两板为脚，高八寸许。肴凡四进，各盘贮而不相共。三进皆附以饭，至四肴乃进酒二，不过三巡。每进肴止一盘，必撤前肴而后进其次肴。饭用油煎面果，次肴饭用炒米花，三肴用饭。每供肴酒，主人必亲手高举，置客前，俯身搓手而退。终席，主人不陪，以为至敬。此球人宴会尊客之礼，平等乃对饮。大要球俗，席皆坐地，无椅桌之用，食具如古俎豆，肴尽干制，无所用勺。虽贵官家食，不过一肴、一饭、一箸，箸多削新柳为之。即妻子不同食，犹有古人之遗风焉。

使院敷命堂后，旧有二榜。一书前明册使姓名：洪武五年，封中山王察度，使行人汤载；永乐二年，封武宁，使行人时中；洪熙元年，封巴志，使中官柴山；正统七年，封尚忠，使给事中俞忭，行人刘逊；十三年，封尚思达，使给事中陈傅，行人万祥；景泰二年，封尚景福，使给事中乔毅，行人童守宏；六年，封尚泰久，使给事中严诚，行人刘俭；天顺六年，封尚德，使吏科给事中潘荣，行人蔡哲；成化六年，封尚圆，使兵科给事中官荣，行人韩文；十三年，封尚真，使兵科给事中董旻，行人司司副张祥；嘉靖七年，封尚清，使吏科给事中陈侃，行人高澄；四十一年，封尚元，使吏科左给事中郭汝霖，行人李际春；万历四年，封尚永，使户科左给事中萧崇业，行人谢杰；二十九年，封尚宁，使兵科右给事中夏子阳，行人王士正；崇祯元年，封尚丰，使户科左给事中杜三策，行人司司正杨伦。凡十五次，二十七人。柴山以前，无副也。一书本朝册使姓名：康熙二年，封尚质，使兵科副理官张学礼，行人王垓；二十一年，封尚贞，使翰林院检讨汪楫，内阁中书舍人林麟焻；五十八年，封尚敬，使翰林院检讨海宝，翰林院编修徐葆光；乾隆二十一年，封尚穆，使翰林院侍讲全魁，翰林院编修周煌。凡四次，共八人。

清明后，南风为常。霜降后，南北风为常。反是飓颶将作。正、二、三月多飓，五、六、七、八月多颶。飓骤发而倏止，颶渐作而多日。九月北风或连月，俗称九降风，间有颶起，亦骤如飓。遇飓犹可，遇颶难当。十月后多北风，飓颶无定期，舟人视风隙以来往。凡飓将至，天色有黑点，急收帆，严舵以待，迟则不及，或至倾覆。颶将至，天边断虹若片帆，曰破帆。稍及半天如鲨尾，曰屈鲨。若见北方尤虐，又海面骤变，多秽如米糠，及海蛇浮游，或红蜻蜓飞绕，皆飓风征。

自来球阳，忽已半年，东风不来，欲归无计。十月二十五日，乃始扬帆返国。至二十九日，见温州南杞山。少顷，见北杞山，有船数十只泊焉。舟人皆喜，以为此必迎护船也。守备登后艄以望，惊报曰："泊者贼船也。"又报："贼船皆扬帆矣。"未几，贼船十六只，吆喝而来。我船从舵门放子母炮，立毙四人，击喝者堕海，贼退。枪并发，又毙六人；复以炮击之，毙五人。稍进，又击之，复毙四人，乃退去。其时，贼船已占上风，暗移子母炮至舵右舷边，连毙贼十二人，焚其头篷，皆转舵而退。中有二船较大，复鼓噪，由上风飞至。大炮准对贼船，即施放，一发中其贼首，烟迷里许。既散，则贼船已尽退。是役也，枪炮俱无虚发，幸免于危。

不一时，北风又至，浪飞过船。梦中闻舟人哗曰："到官塘矣。"惊起。从客皆一夜不眠，语余曰："险至此，汝尚能睡耶？"余问其状，曰："每侧则篷皆卧水。一浪盖船，则船身入水，惟闻瀑布声，垂流不息。其不覆者，幸耶。"余笑应之曰："设覆，君等能免乎？余入黑甜乡，未曾目击其险，岂非幸乎？"盥后，登战台视之，前后十余灶，皆没，船面无一物，爨火断矣。舟人指曰："前即定海，可无虑矣。"申刻，乃得泊。船户登岸购米薪，乃得食。

是夜修家书，以慰芸之悬系，而归心益切。犹忆昔年，芸尝谓余："布衣菜饭，可乐终身，不必作远游。"此番航海，虽奇而险，濒危幸免，始有味乎芸之言也。

第六卷　养生记逍

自芸娘之逝，戚戚无欢。春朝秋夕，登山临水，极目伤心，非悲则恨。读《坎坷记愁》，而余所遭之拂逆可知也。

静念解脱之法，行将辞家远出，求赤松子于世外。嗣以淡安、揖山两昆季之劝，遂乃栖身苦庵，惟以《南华经》自遣。乃知蒙庄鼓盆而歌，岂真忘情哉？无可奈何，而翻作达耳。余读其书，渐有所悟。读《养生主》而悟达观之士，无时而不安，无顺而不处，冥然与造化为一。将何得而何失，孰死而孰生耶？故任其所受，而哀乐无所错其间矣。又读《逍遥游》，而悟养生之要，惟在闲放不拘，怡适自得而已。始悔前此之一段痴情，得勿作茧自缚矣乎？此《养生记逍》之所为作也。亦或采前贤之说以自广，扫除种种烦恼，惟以有益身心为主，即蒙庄之旨也。庶几可以全生，可以尽年。

余年才四十，渐呈衰象。盖以百忧摧撼，历年郁抑，不无闷损。淡安劝余每日静坐数息，仿子瞻《养生颂》之法，余将遵而行之。调息之法，不拘时候，兀身端坐，子瞻所谓摄身使如木偶也。解衣缓带，务令适然。口中舌搅数次，微微吐出浊气，不令有声，鼻中微微纳之。或三、五遍，二、七遍，有津咽下，叩齿数通。舌抵上腭，唇齿相着，两目垂帘，令胧胧然渐次调息，不喘不粗。或数息出，或数息入，从一至十，从十至百，摄心在数，勿令散乱。子瞻所谓"寂然，兀然，与虚空等也"。如心息相依，杂念不生，则止勿数，任其自然。子瞻所谓"随"也，坐久愈妙。若欲起身，须徐徐舒放手足，勿得遽起。能勤行之，静中光景，种种奇特，子瞻所谓"定能生慧"。自然明悟，譬如盲人忽然有眼也。直可明心见性，不但养身全生而已。出入绵绵，若存若亡，神气相依，是为真息。息息归根，自能夺天地之造化，长生不死之妙道也。

人大言，我小语。人多烦，我少记。人悸怖，我不怒。澹然无为，神气自满。此长生之药。《秋声赋》云："奈何思其力之所不及，忧其智之所不能。宜其渥然丹者为槁木，黟然黑者为星星。"此士大夫通患也。又曰："百忧感其心，万事劳其形。有动于中，必摇其精。"人常有多忧多思之患，方壮遽老，方老遽衰。反此亦长生之法。舞衫歌扇，转眼皆非；红粉青楼，当场即幻。秉灵烛以照迷情，持慧剑以割爱欲，殆非大勇不能也。

然情必有所寄，不如寄其情于卉木，不如寄其情于书画。与对艳妆美人何异？可省却许多烦恼。范文正有云："千古贤贤，不能免生死，不能管后事。一身从无中来，却归无中去。谁是亲疏？谁能主宰？既无奈何，即放心逍遥，任委来往。如此断了，既心气渐顺，五脏亦和，药方有效，食方有味也。只如安乐人，勿有忧事。便吃食不下，何况久病，更忧身死，更忧身后，乃在大怖中，饮食安可得下？请宽心将息。"云云，乃劝其中舍三哥之帖。余近日多忧多虑，正宜读此一段。

放翁胸次广大，盖与渊明、乐天、尧夫、子瞻等，同其旷逸。其于养生之道，千言万语，真可谓有道之士。此后当玩索陆诗，正可疗余之病。

淴浴极有益。余近制一大盆，盛水极多。淴浴后，至为畅适。东坡诗所谓"淤槽漆斛江河倾，本来无垢洗更轻"，颇领略得一二。

治有病，不若治于无病。疗身，不若疗心。使人疗，尤不若先自疗也。林鉴堂诗曰："自家心病自家知，起念还当把念医。只是心生心作病，心安那有病来时。"此之谓自疗之药。游心于虚静，结志于微妙，委虑于无欲，指归于无为，故能达生延命，与道为久。

《仙经》以精、气、神为内三宝，耳、目、口为外三宝。常令内三宝不逐物而流，外三宝不诱中而扰。重阳祖师于十二时中，行住坐卧，一切动中，要把心似泰山，不摇不动。谨守四门，眼、耳、鼻、口，不令内入外出，此名养寿紧要。外无劳形之事，内无思想之患，以恬愉为务，以自得为功，形体不敝，精神不散。

益州老人尝言："凡欲身之无病，必须先正其心。使其心不乱求，心不狂思，不贪嗜欲，不着迷惑，则心君泰然矣。心君泰然，则百骸四体，虽有病，不难治疗。独此心一动，百患为招，即扁鹊、华佗在旁，亦无所措手矣。"

林鉴堂先生有《安心诗》六首，真长生之要诀也。诗云：

我有灵丹一小锭，能医四海群迷病。
些儿吞下体安然，管取延年兼接命。

安心心法有谁知，却把无形妙药医。
医得此心能不病，翻身跳入太虚时。

念杂由来业障多，憧憧扰扰竟如何。
驱魔自有玄微诀，引入尧夫安乐窝。

人有二心方显念，念无二心始为人。
人心无二浑无念，念绝悠然见太清。

这也了时那也了，纷纷攘攘皆分晓。
云开万里见清光，明月一轮圆皎皎。

四海遨游养浩然，心连碧水水连天。

津头自有渔郎问，洞里桃花日日鲜。

禅师与余谈养心之法，谓："心如明镜，不可以尘之也。又如止水，不可以波之也。"此与晦庵所言"学者，常要提醒此心，惺惺不寐，如日中天，群邪自息"，其旨正同。又言："目毋妄视，耳毋妄听，口毋妄言，心毋妄动，贪嗔痴爱，是非人我，一切放下。未事不可先迎，遇事不宜过扰，既事不可留住。听其自来，应以自然，信其自去。忿憸恐惧，好乐忧患，皆得其正。"此养心之要也。

王华子曰："斋者，齐也。齐其心而洁其体也，岂仅茹素而已？所谓齐其心者，澹志寡营，轻得失，勤内省，远荤酒。洁其体者，不履邪径，不视恶色，不听淫声，不为物诱。入室闭户，烧香静坐，方可谓之斋也。诚能如是，则身中之神明自安，升降不碍，可以却病，可以长生。"

余所居室，四边皆窗户，遇风即合，风息即开。余所居室，前帘后屏，太明即下帘，以和其内映；太暗则卷帘，以通其外耀。内以安心，外以安目，心目俱安，则身安矣。

禅师称二语告我曰："未死先学死，有生即杀生。"有生，谓妄念初生；杀生，谓立予铲除也。此与孟子勿忘勿助之功相通。

孙真人《卫生歌》云：

卫生切要知三戒，大怒大欲并大醉。

三者若还有一焉，须防损失真元气。

又云：

世人欲知卫生道，喜乐有常嗔怒少。

心诚意正思虑除，理顺修身去烦恼。

又云：

醉后强饮饱强食，未有此生不成疾。

入资饮食以养身，去其甚者自安适。

又蔡西山《卫生歌》云：

何必餐霞饵大药，妄意延龄等龟鹤。
但于饮食嗜欲间，去其甚者将安乐。
食后徐行百步多，两手摩胁并胸腹。

又云：

醉眠饱卧俱无益，渴饮饥餐尤戒多。
食不欲粗并欲速，宁可少餐相接续。
若教一顿饱充肠，损气伤脾非尔福。

又云：

饮酒莫教令大醉，大醉伤神损心志。
酒渴饮水并啜茶，腰脚自兹成重坠。

又云：

视听行坐不可久，五劳七伤从此有。
四肢亦欲得小劳，譬如户枢终不朽。

又云：

道家更有颐生旨，第一戒人少嗔恚。

凡此数言，果能遵行，功臻旦夕，勿谓老生常谈也。

洁一室，开南牖，八窗通明。勿多陈列玩器，引乱心目。设广榻、长几各一，笔砚楚楚，旁设小几一。挂字画一幅，频换。几上置得意书一、二部，古帖一本，古琴一张。心目间，常要一尘不染。

晨入园林，种植蔬果，芟草，灌花，莳药。归来入室，闭目定神。时读快书，怡悦神气；时吟好诗，畅发幽情。临古帖，抚古琴，倦即止。知己聚谈，勿及时事，勿及权势，勿臧否人物，勿争辩是非。或约闲行，不衫不履，勿以劳苦徇礼节。小饮勿醉，陶然而已。诚然如是，亦堪乐志。以视夫蹩足入绊，申脰就羁，游卿相之门，有簪佩之累，岂不霄壤之悬哉？

太极拳非他种拳术可及。"太极"二字，已完全包括此种拳术之意义。太极,乃一圆圈。太极拳即由无数圆圈联贯而成之一种拳术。无论一举手,一投足,皆不能离此圆圈。离此圆圈,便违太极拳之原理。四肢百骸不动则已,动则皆不能离此圆圈,处处成圆,随虚随实。练习以前,先须存神纳气,静坐数刻。并非道家之守窍也,只须屏绝思虑,务使万缘俱静。以缓慢为原则,以毫不使力为要义,自首至尾,联绵不断。相传为辽阳张通,于洪武初奉召入都,路阻武当,夜梦异人,授以此种拳术。余近年从事练习,果觉身体较健,寒暑不侵。用以卫生,诚有益而无损者也。

省多言,省笔札,省交游,省妄想,所一息不可省者,居敬养心耳。

杨廉夫有《路逢三叟》词云:

上叟前致词,大道抱天全。

中叟前致词,寒暑每节宣。

下叟前致词,百岁半单眠。

尝见后山诗中一词,亦此意。盖出应璩,璩诗曰:

昔有行道人,陌上见三叟。

年各百岁余,相与锄禾麦。

往前问三叟,何以得此寿?

上叟前致词,室内姬粗丑。

二叟前致词,量腹节所受。

下叟前致词,夜卧不覆首。

要哉三叟言,所以能长久。

古人云:"比上不足,比下有余。"此最是寻乐妙法也。将啼饥者比,则得饱自乐;将号寒者比,则得暖自乐;将劳役者比,则优闲自乐;将疾病者比,则康健自乐;将祸患者比,则平安自乐;将死亡者比,则生存自乐。

白乐天诗有云:

蜗牛角内争何事，石火光中寄此身。

随富随贫且欢喜，不开口笑是痴人。

近人诗有云：

人生世间一大梦，梦里胡为苦认真？

梦短梦长俱是梦，忽然一觉梦何存。

与乐天同一旷达也。

"世事茫茫，光阴有限，算来何必奔忙？人生碌碌，竞短论长，却不道荣枯有数，得失难量。看那秋风金谷，夜月乌江，阿房宫冷，铜雀台荒。荣华花上露，富贵草头霜。机关参透，万虑皆忘，夸什么龙楼凤阁，说什么利锁名缰。闲来静处，且将诗酒猖狂，唱一曲归来未晚，歌一调湖海茫茫。逢时遇景，拾翠寻芳。约几个知心密友，到野外溪旁，或琴棋适性，或曲水流觞；或说些善因果报，或论些今古兴亡。看花枝堆锦绣，听鸟语弄笙簧。一任他人情反复，世态炎凉，优游闲岁月，潇洒度时光。"

此不知为谁氏所作，读之而若大梦之得醒，热火世界一帖清凉散也。

程明道先生曰："吾受气甚薄，因厚为保生。至三十而浸盛，四十、五十而浸盛，四十、五十而后完。今生七十二年矣，较其筋骨，于盛年无损也。若人待老而保生，是犹贫而后蓄积，虽勤亦无补矣。"

口中言少，心头事少，肚里食少。有此三少，神仙可到。

酒宜节饮，忿宜速惩，欲宜力制。依此三宜，疾病自稀。

病有十可却：静坐观空，觉四大原从假合，一也；烦恼现前，以死譬之，二也；常将不如我者，巧自宽解，三也；造物劳我以生，遇病少闲，反生庆幸，四也；宿孽现逢，不可逃避，欢喜领受，五也；家室和睦，无交谪之言，六也；众生各有病根，常自观察克治，七也；风寒谨防，嗜欲淡薄，八也；饮食宁节毋多，起居务适毋强，九也；觅高明亲友，讲开怀出世之谈，十也。

邵康节居安乐窝中，自吟曰：

老年肢体索温存，安乐窝中别有春。
万事去心闲偃仰，四肢由我任舒伸。
炎天傍竹凉铺簟，寒雪围炉软布裀。
昼数落花聆鸟语，夜邀明月操琴音。
食防难化常思节，衣必宜温莫懒增。
谁道山翁拙于用，也能康济自家身。

养生之道，只"清净明了"四字。内觉身心空，外觉万物空，破诸妄想，一无执著，是曰"清净明了"。

万病之毒，皆生于浓。浓于声色，生虚怯病；浓于货利，生贪饕病；浓于功业，生造作病；浓于名誉，生矫激病。噫，浓之为毒甚矣。樊尚默先生以一味药解之，曰"淡"。云白山青，川行石立，花迎鸟笑，谷答樵讴，万境自闲，人心自闹。

岁暮访淡安，见其凝尘满室，泊然处之。叹曰："所居，必洒扫涓洁，虚室以居，尘嚣不杂。斋前杂树花木，时观万物生意。深夜独坐，或启扉以漏月光，至味爽，但觉天地万物，清气自远而届，此心与相流通，更无窒碍。今室中芜秽不治，弗以累心，但恐于神爽未必有助也。"

余年来静坐枯庵，迅扫夙习。或浩歌长林，或孤啸幽谷，或弄艇投竿于溪涯湖曲，捐耳目，去心智，久之似有所得。陈白沙曰："不累于外物，不累于耳目，不累于造次颠沛。鸢飞鱼跃，其机在我。"知此者谓之善学，抑亦养寿之真诀也。

圣贤皆无不乐之理。孔子曰："乐在其中。"颜子曰："不改其乐。"孟子以"不愧，不怍"为乐。《论语》开首说乐，《中庸》言"无入而不自得"。程、朱教寻孔颜乐趣，皆是此意。圣贤之乐，余何敢望，窃欲仿白傅之"有叟在中，白须飘然，妻孥熙熙，鸡犬闲闲"之乐云耳。

冬夏皆当以日出而起，于夏尤宜。天地清旭之气，最为爽神，失之甚为可惜。余居山寺之中，暑月日出则起，收水草清香之味。莲方敛而未开，竹含露而犹滴，可谓至快。日长漏永，午睡数刻，焚香垂幕，净展桃笙，睡足而起，神清气爽，真不啻天际真人也。

乐即是苦，苦即是乐。带些不足，安知非福？举家事事如意，一身件件自在，热光景即是冷消息。圣贤不能免厄，仙佛不能免劫，厄以铸圣贤，劫以炼仙佛也。

牛喘月，雁随阳，总成忙世界；蜂采香，蝇逐臭，同是苦生涯。劳生扰扰，惟利惟名。牿旦昼，蹶寒暑，促生死，皆此两字误之。以名为炭而灼心，心之液涸矣；以利为蚕而螫心，心之神损矣。今欲安心而却病，非将"名利"两字，涤除净尽不可。

余读柴桑翁《闲情赋》，而叹其钟情；读《归去来辞》，而叹其忘情；读《五柳先生传》，而叹其非有情、非无情，钟之忘之，而妙焉者也。余友淡公，最慕柴桑翁，书不求解而能解，酒不期醉而能醉。且语余曰："诗何必五言？官何必五斗？子何必五男？宅何必五柳？"可谓逸矣。余梦中有句云："五百年谪在红尘，略成游戏；三千里击开沧海，便是逍遥。"醒而述诸琢堂，琢堂以为飘逸可诵，然而谁能会此意乎？

真定梁公每语人：每晚家居，必寻可喜笑之事，与客纵谈，掀髯大笑，以发舒一日劳顿郁结之气。此真得养生要诀也。

曾有乡人过百岁，余扣其术。答曰："余乡村人，无所知。但一生只是喜欢，从不知忧恼。"此岂名利中人所能哉。

昔王右军云："吾笃嗜种果，此中有至乐存焉。我种之树，开一花，结一实，玩之偏爱，食之益甘。"右军可谓自得其乐矣。放翁梦至仙馆，得诗云："长廊下瞰碧莲沼，小阁正对青萝峰。"便以为极胜之景。余居禅房，颇擅此胜，可傲放翁矣。

余昔在球阳，日则步屧于空潭、碧涧、长松、茂竹之侧，夕则挑灯读白香山、陆放翁之诗。焚香煮茶，延两君子于坐，与之相对，如见其襟怀之澹宕，几欲弃万事而从之游，亦愉悦身心之一助也。

余自四十五岁以后，讲求安心之法。方寸之地，空空洞洞，朗朗惺惺，凡喜怒哀乐、劳苦恐惧之事，决不令之入。譬如制为一城，将城门紧闭，时加防守，惟恐此数者阑入。近来渐觉阑入之时少，主人居其中，乃有安适之象矣。

养身之道，一在慎嗜欲，一在慎饮食，一在慎忿怒，一在慎寒暑，一在慎思索，一在慎烦劳。有一于此，足以致病。安得不时时谨慎耶。

张敦复先生尝言："古人读《文选》而悟养生之理，得力于两句，曰：'石蕴玉而山辉，水含珠而川媚。'"此真是至言。尝见兰蕙、芍药之蒂间，必有露珠一点，若此一点为蚁虫所食，则花萎矣。又见笋初出，当晓，则必有露珠数颗在其末，日出，则露复敛而归根，夕则复上。田闲有诗云"夕看露颗上梢行"是也。若侵晓入园，笋上无露珠，则不成竹，遂取而食之。稻上亦有露，夕现而朝敛，人之元气全在乎此。故《文选》二语，不可不时时体察，得诀固不在多也。

余之所居，仅可容膝，寒则温室拥杂花，暑则垂帘对高槐。所自适于天壤间者，止此耳。然退一步想，我所得于天者已多，因此心平气和，无歆羡，亦无怨尤。此余晚年自得之乐也。

圃翁曰："人心至灵至动，不可过劳，亦不可过逸，惟读书可以养之。"闲适无事之人，镇日不观书，则起居出入，身心无所栖泊，耳目无所安顿，势必心意颠倒，妄想生嗔，处逆境不乐，处顺境亦不乐也。古人有言："扫地焚香，清福已具。其有福者，佐以读书；其无福者，便生他想。"旨哉斯言。且从来拂意之事，自不读书者见之，似为我所独遭，极其难堪。不知古人拂意之事，有百倍于此者，特不细心体验耳。即如东坡先生，殁后遭逢高孝，文字始出，而当时之忧谗畏讥，困顿转徙潮惠之间，且遇跣足涉水，居近牛栏，是何如境界？又如白香山之无嗣，陆放翁之忍饥，皆载在书卷。彼独非千载闻人，而所遇皆如此。诚一平心静观，则人间拂意之事，可以涣然冰释。若不读书，则但见我所遭甚苦，而无穷怨尤嗔忿之心，烧灼不静，其苦为何如耶。故读书为颐养第一事也。

吴下有石琢堂先生之城南老屋。屋有五柳园，颇具泉石之胜，城市之中，而有郊野之观，诚养神之胜地也。有天然之声籁，抑扬顿挫，荡漾余之耳边。群鸟嘤鸣林间时，所发之断断续续声；微风振动树叶时，所发之沙沙簌簌声，和清溪细流流出时，所发之潺潺淙淙声。余泰然仰卧于青葱可爱之草地上，眼望蔚蓝澄澈之穹苍，真是一幅绝妙画图也。以视拙政园，一喧一静，真远胜之。

吾人须于不快乐之中，寻一快乐之方法。先须认清快乐与不快乐之造成，固由于处境之如何，但其主要根苗，还从己心发长耳。同是一人，同处一样之境，甲却能战胜劣境，乙反为劣境所征服。能战胜劣境之人，视劣境所征服之人，较为快乐。所以不必歆羡他人之福，怨恨自己之命。是何异雪上加霜，愈以毁灭人生之一切也。无论如何处境之中，可以不必郁郁，须从郁郁之中，生出希望和快乐之精神。偶与琢堂道及，琢堂亦以为然。

家如残秋，身如昃晚，情如剩烟，才如遣电，余不得已而游于画，而狎于诗，竖笔横墨，以自鸣其所喜。亦犹小草无聊，自矜其花；小鸟无奈，自矜其舌。小春之月，一霞始晴，一峰始明，一禽始清，一梅始生，而一诗一画始成。与梅相悦，与禽相得，与峰相立，与霞相揖，画虽拙而或以为工，诗虽苦而自以为甘。四壁已倾，一瓢已敝，无以损其愉悦之胸襟也。

圃翁拟一联，将悬之草堂中："富贵贫贱，总难称意，知足即为称意；山水花竹，无恒主人，得闲便是主人。"其语虽俚，却有至理。天下佳山胜水、名花美竹无限。大约富贵人役于名利，贫贱人役于饥寒，总鲜领略及此者。能知足，能得闲，斯为自得其乐，斯为善于摄生也。

心无止息，百忧以感之，众虑以扰之，若风之吹水，使之时起波澜，非所以养寿也。大约从事静坐，初不能妄念尽捐，宜注一念，由一念至于无念，如水之不起波澜。寂定之余，觉有无穷恬淡之意味，愿与世人共之。

阳明先生曰："只要良知真切，虽做举业，不为心累。且如读书时，知强记之心不是，即克去之；有欲速之心不是，即克去之；有夸多斗靡之心不是，即克去之。如此，亦只是终日与圣贤印对，是个纯乎天理之心。任他读书，亦只调摄此心而已，何累之有？"录此以为读书之法。

汤文正公抚吴时，日给惟韭菜。其公子偶市一鸡，公知之，责之曰："恶有士不嚼菜根，而能作百事者哉？"即遣去。奈何世之肉食者流，竭其脂膏，供其口腹，以为分所应尔。不知甘脆肥脓，乃腐肠之药也。大概受病之始，必由饮食不节。俭以养廉，澹以寡欲。安贫之道在是，却疾之方亦在是。余喜食蒜，素不贪屠门之嚼，食物素从省俭。自芸娘之逝，梅花盒亦不复用矣，庶不为汤公所呵乎。

留侯、邺侯之隐于白云乡，刘、阮、陶、李之隐于醉乡，司马长卿以温柔乡隐，希夷先生以睡乡隐，殆有所托而逃焉者也。余谓白云乡，则近于渺茫；醉乡、温柔乡，抑非所以却病而延年；而睡乡为胜矣。妄言息躬，辄造逍遥之境；静寐成梦，旋臻甜适之乡。余时时税驾，咀嚼其味，但不从邯郸道上向道人借黄粱枕耳。

养生之道，莫大于眠食。菜根粗粝，但食之甘美，即胜于珍错也。眠亦不在多寝，但实得神凝梦甜，即片刻，亦足摄生也。放翁每以美睡为乐，然睡亦有诀。孙真人云："能息心，自瞑目。"蔡西山云："先睡心，后睡眼。"此真未发之妙。禅师告余，伏气，有三种眠法：病龙眠，屈其膝也；寒猿眠，抱其膝也；龟鹤眠，踵其膝也。余少时，见先君子于午餐之后，小睡片刻，灯后治事，精神焕发。余近日亦思法之，午餐后，于竹床小睡，入夜果觉清爽。益信吾父之所为，一一皆可为法。

余不为僧，而有僧意。自芸之殁，一切世味，皆生厌心；一切世缘，皆生悲想，奈何颠倒不自痛悔耶？近年与老僧共话无生，而生趣始得。稽首世尊，少忏宿怨。献佛以诗，餐僧以画。**画性宜静**，诗性宜孤，即诗与画，必悟禅机，始臻超脱也。

图书在版编目(CIP)数据

浮生六记/(清)沈复著;淮茗注译. —郑州:中州古籍出版社,2010.1(2014.1重印)
(国学经典)
ISBN 978-7-5348-3278-9

Ⅰ.浮… Ⅱ.①沈…②淮… Ⅲ.①古典散文—作品集—中国—清代②浮生六记—注释③浮生六记—译文 Ⅳ.①I264.9

中国版本图书馆CIP数据核字(2009)第236023号

出版社:中州古籍出版社
(地址:郑州市经五路66号 邮政编码:450002)
发行单位:新华书店
承印单位:河南大美印刷有限公司
开本:640mm×960mm 1/16 印张:13.5
字数:170千字 印数:11 001-15 000册
版次:2010年1月第1版 印次:2014年1月第3次印刷

定价:20.00元
本书如有印装质量问题,由承印厂负责调换。